703
703
703
703
703

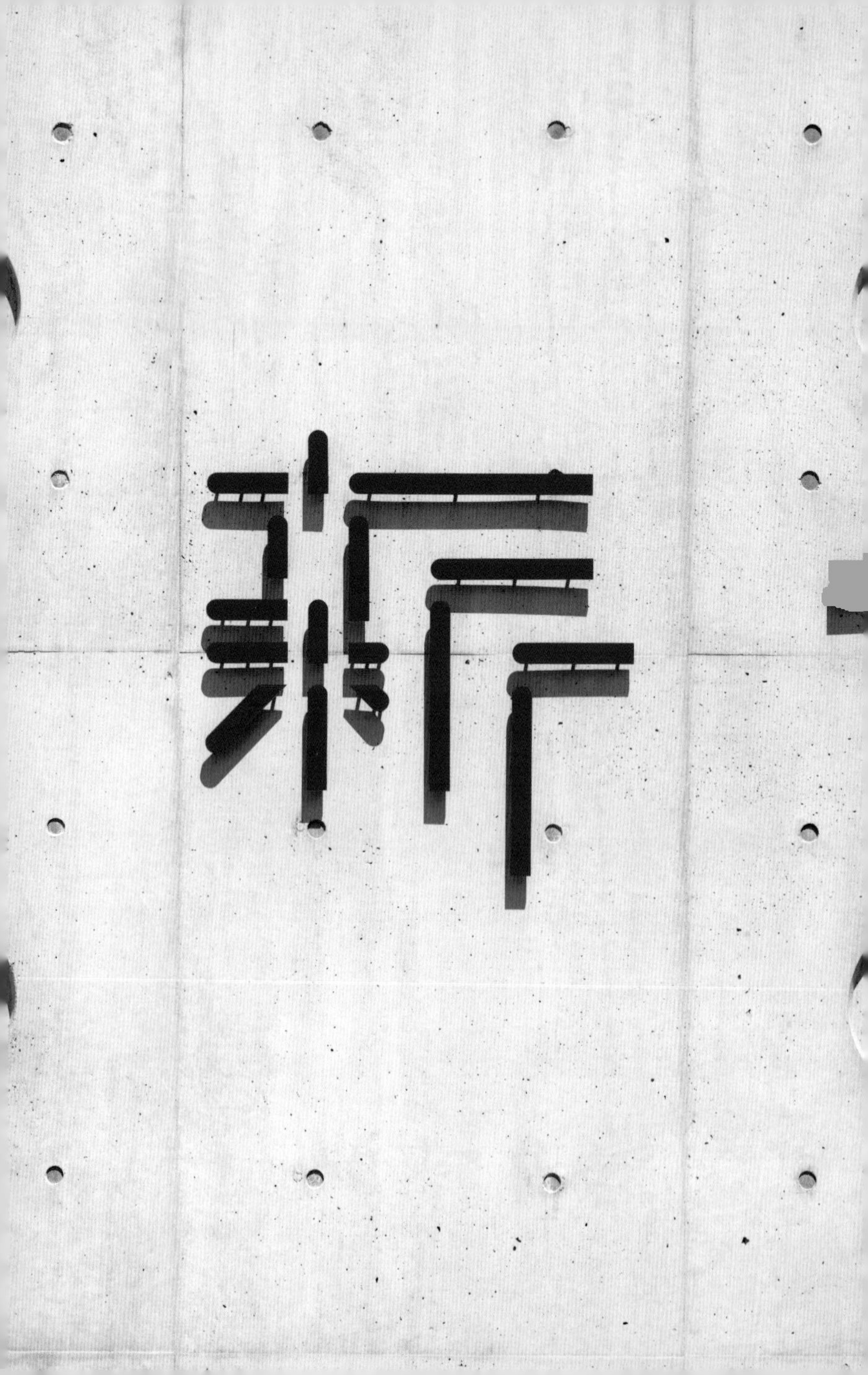
新

THE NATIONAL ART CENTER, TOKYO

2007.02.11 SUN AM07:03

2007.02.11 SUN AM07:03

2007.02.11 SUN AM07:03

2007.02.11 SUN AM07:03

まえがき

「楽しく、早く、いい仕事をして、人に喜んでもらって、自分もハッピーになりたい」

仕事に対して、どんな気持ちで取り組んでいるかと聞かれたら、僕はこう答えます。実現できれば最高ですよね。仕事は人生の糧ですから、楽しくないと意味がないと思うのです。義務感で取り組んでいては幸せになれない。

「どうせやるなら、楽しくやりたい」

仕事に限らず、すべてのことに対してこう考えています。仕事とプライベートを分けて、仕事は仕事と割り切ってこなし、プライベートの時間を充実させるという考え方は、僕にとってどうも効率が悪い。限られた時間を有意義に過ごすには、仕事も心からエンジョイできるものにすることが、いちばん現実的な解決になると思うのです。

そこで、整理術の登場です。〝整理〟というと、一見重たい響きの言葉です。この言葉を聞いただけで、腰が引けてしまう人もいるでしょう。ですが、僕は整理という行為を、ものすごくポジティブに捉えています。それは、整理を徹底することで、仕事の環境が格段に快適になるからです。もちろん、いくつかのテクニックが必要であり、一朝一夕にできることではありません。スキーやスノーボードのターンの技術を磨くように、少しずつスキルアップしてハードルを乗り越え、ゴールを目指す感じを想像してみてください。

そうやって整理術を磨いていくと、仕事を取り巻く環境がみるみる快適になっていくのが実感できるはずです。それに伴い、仕事の精度も劇的にアップしていることでしょう。この本で僕が述べる整理術とは、整理のための整理ではなく、快適に生きるための本質的な方法論。ですから、デスク周りなどの空間から仕事上の問題、人間関係に至るまで、あらゆる場面に応用できるのです。

仕事のスキルアップをしたいと思っている人や、前向きに仕事に取り組みたいと思っている人にとって、本書のエッセンスが大いに役立つことを願います。僕自身も、整理術を磨いてきたことで、自分でも驚くほど仕事の処理速度が上がりました。頭の中で案件を吟味し、判断を下すまでが、見違えるほど速くなったのです。

現在、僕のオフィス〝サムライ〟で進行しているプロジェクトは、大小合わせて常時三〇件ほど。「どうしてそんなに速く、たくさんの仕事を進められるのですか?」。

よくこう聞かれるのですが、それはまさに、整理術の賜物といっていいでしょう。整理を徹底することで判断力が研ぎ澄まされ、仕事のスキルが格段に上がりました。正確に素早く判断できるようになったのです。このままさらに整理術を磨いていけば、あと一〇倍くらいスキルアップできるのではないかと思うほどです。

この整理術、僕は決して義務感で実行しているわけではありません。仕事を快適に進めていきたいと思いつづけているうちに、自然と身についていました。改めて考えると、自分の仕事であるデザインも、クリエイティビティあふれる整理術だと捉えています。なぜなら、ひとつのデザインを生み出すことは、対象をきちんと整理して、本当に大切なもの、すなわち本質を導き出して形にすることだと思うからです。

思えば、小さな頃から、僕は整理することが好きでした。整理した後の、なんともいえないスッキリ感がたまらなかったのです。もやもやした霧がパッと晴れたような爽快感といったらいいでしょうか。そう、整理自体が、僕にとっては何よりのエンタテインメント。その楽しさを追求しているうちに磨きがかかり、いまでは混沌とした社会や時代を相手に、整理を駆使して問題解決するという爽快さが仕事に結び付いています。整理がうまくいった結果、商品のヒットやブランドイメージの向上につながり、クライアントも満足してくれると最高です。

整理はどうも苦手。そんな人も、この本がきっかけとなって意識を切り替えるスイッチが押されると、オセロの駒がみるみる反転するように、整理好きに変わるかもしれません。その結果、仕事にもポジティブに取り組んでもらえるようになれば、言うことはありません。

「整理ってこんなに気持ちのいいものなのか！」

スポーツの後のような、この爽快感を、ぜひたくさんの人に味わってほしいと思います。

佐藤可士和の超整理術　目次

著者自装

1章　問題解決のための〝超〟整理術

いい仕事に、整理術は欠かせない

「なぜ、アートディレクターが整理術を?」

僕が整理術というテーマを語るにあたって、不思議に思う方も多いことでしょう。一般的に、アートディレクターというと、まさにアーティストのようなイメージを抱く人が多いのではないでしょうか。刺激的で派手な作品を次々と創造する表現者、といったふうに。細々と片づけを行う整理という行為とは、結び付けにくいと思います。

まずは先入観を捨ててみてください。これから説明する整理術は、いわゆる生活の知恵の類とは全く別物です。仕事や人間関係における、本質的な問題解決のための〝超〟整理術なのです。また、僕の行っているアートディレクションは、アーティストのようなアプローチとはかけ離れたもの。さらに、僕はアートディレクターという言葉から想像される仕事の領域を、大きく広げようとしているのです。

アートディレクターの一般的な定義というのは、〝広告などにおいてグラフィックを企画立案し、かたちにしていく総合的な監督〟といった感じでしょうか。僕は、その定義を徐々に拡大解釈しているところです。グラフィック媒体にとどまらず、CF、空間、パッケージと、仕事の領域をどんどん広げています。最近では広告のみならず、商品開発から企業や教育機関のブランディングにまで携わるようになりました。

ですから、僕が行っていることは、〝コミュニケーション戦略を総合的に立案し、デザインの力で目に見えるかたちにしていく仕事〟なのです。一見アーティスティックに自己表現をしているのではと思われがちですが、実はドクターのようにクライアントを診療し、問題を解決していくといったほうがふさわしいのです。

僕の仕事の一例を挙げてみましょう。たとえば、二〇〇二年に発売されたキリンの発泡酒「極生」。発泡酒の開発に各メーカーがしのぎを削っていた当時、キリンの新商品のネーミングからパッケージデザイン、広告展開までをトータルでディレクションするという、商品開発の仕事でした。

僕が提案したのは、とことんシンプルでクールなイメージ。パッケージは、アルミ缶そのものの地に青の一色印刷で、キリンのシンボルマークである聖獣と、商品名の

「極生」だけを強調したデザインにしました。広告も、テレビCMはいっさい打たず、パッケージデザインをビジュアルアイデンティティとした、グラフィック媒体のみを使っての展開です。ダイナミックで斬新な戦略だと、評判を呼びました。

ですが、僕は決して、奇抜なものを創り出そうと思ったわけではありません。当時、発泡酒というと、〝安かろう悪かろう〟という風潮も強かった。〝ビール代を節約するため仕方なく飲む〟といった、ネガティブなイメージが広がっていたのです。クライアントも、その現状をなんとか打開しようと模索しているところでした。

そこで、発泡酒のマイナスイメージをプラスに転換することを考えました。コクが足りないのではなく、〝ライトで爽やかな飲み口〟。ビールの廉価版ではなく、〝カジュアルに楽しめる現代的な飲み物〟というように、発泡酒を捉える視点を転換したのです。決して無理やり導き出したわけではなく、裏を返せばポジティブな見方ができる、ということです。そのポジティブなイメージを端的にビジュアル化したのが、簡潔でクールなパッケージや広告表現なのです。

こうした発想は、クライアントと話し合うなかで見えてきたことです。つまり、僕が勝手なイメージを作り上げるのではなく、クライアントから問診のごとくヒアリングを重ね、相手の抱える課題や伝えたいことをきちんと整理することで、表現すべきかたちが必然的に見えてきたのです。ですから〝ドクターのように診療する〟というたとえがぴったりくるのです。

生黒
NAMAKURO
Kirin's passion combined with its brewing technology brings you the masterpiece of Happo-shu. Bittersweet like you have never tasted. Enjoy it on any occasion.
〈生〉
発泡酒
極生
GOKUNAMA
Kirin's passion combined with its brewing technology brings you the masterpiece of Happo-shu. A refreshing taste you will never forget. Enjoy it on any occasion.
〈生〉
発泡酒
09

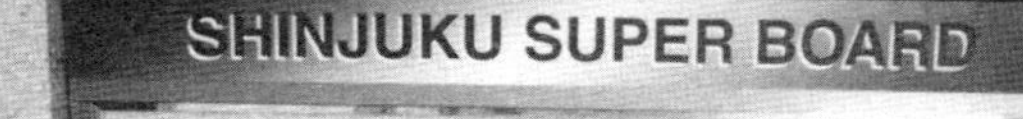
SHINJUKU SUPER BOARD
生黒
NAMAKURO
Kirin's passion combined with its brewing technology brings you the masterpiece of Happo-shu. Bittersweet like you have never tasted. Enjoy it on any occasion.
〈生〉
発泡酒

極生
GOKUNAMA
Kirin's passion combined with its brewing technology brings you the masterpiece of Happo-shu. A refreshing taste you will never forget. Enjoy it on any occasion.
KIRIN

アートディレクター＝ドクター

もう少し詳しく説明しましょう。現在、モノを売ることが難しいといわれる時代が続いています。僕のところには、「そうした状況をなんとかしてほしい！」と焦燥しているクライアントからの依頼が少なくありません。

問題の状況には二パターンあって、ひとつは商品価値が本当にないという場合。すでに世の中にあふれているものだったり、全く時代にそぐわないものだったり、というパターンです。こちらは残念ながら、いかんともしがたい。

一方、本当はいいものなのに、商品のよさが正確に伝わっていないという場合。これなら大丈夫。クライアントがアピールしたいことを整理して、きっちりよさを伝えれば、正しく評価されるようになります。繰り返しますが、決して僕のなかのインスピレーションをかたちにするわけではありません。アートディレクションというと、クライアントの持ち味に関係なく、虚飾のイメージを作り上げるのでは、と思われることもよくありますが、そうではないのです。クライアントと綿密にコミュニケーシヨンを重ねることで、答えが見つかる。それを的確に表現することで、商品と世の中もスムーズにコミュニケートできるようになるのです。

たとえるならまさに、僕がドクターでクライアントが患者。漠然と問題を抱えつつも、どうしたらいいのかわからなくて訪れるクライアントを問診して、症状の原因と回復に向けての方向性を探り出す。問題点を明確にするのと同時に、磨き上げるべきポテンシャルをすくい上げるのです。だから、〝アートディレクター＝ドクター〟という形容がぴったりくる。つまり、自分の作品を作るのではなく、相手の問題を解決する仕事なのです。解決策をかたちにする際にはじめて、デザインというクリエイティブの力を使うわけです。

このように、僕の考えるアートディレクションは、自己表現が原動力ではありません。「いろいろなジャンルのプロジェクトを数多く手がけていて、アイデアが尽きることはないのですか？」。こう聞かれることも多いのですが、その心配は全くありません。なぜなら、答えはいつも、自分ではなく相手のなかにあるからです。それを引き出すために、相手の思いを整理するということが、すごく重要になってくるのです。

大切なのは、相手の思いを整理すること

相手の思いを整理する。これはなかなか大変なことです。クライアントにしてみれば、伝えたいことというのは山のようにあるわけですから、あれもこれもアピールしたい。でも、消費者はクライアントの思惑どおり、すべてを理解するわけではありません。まして情報の氾濫する今日では、よほど鋭いメッセージでもなければ消費者の心には届かないでしょう。ですから、クライアントが山ほど抱えている思いをひとつひとつ吟味して、整理しなければなりません。

整理するには、客観的な視点が不可欠です。対象から離れて冷静に見つめないと、たくさんの要素に優先順位をつけたり、いらないものをバッサリ切り捨てたりすることはできません。徐々に大切なものに焦点を合わせ、磨き上げて、洗練されたかたちにしていきます。

完成した広告やシンボルマークに対して、クライアントからはよくこういう言葉をいただきます。「自社のブランドや商品に、こんな魅力があったとは気づかなかった」。

あまりにも身近すぎて当事者が意識しなかったことが、客観視するからこそ見えてくるのです。「新鮮だけど違和感が全然ない」とも言われます。これは、ゼロから生み出したものではなく、相手のなかから核心を引き出した結果ゆえでしょう。

世の中のグッドデザインにも、同様の過程が当てはまると思います。たとえば、アルネ・ヤコブセンがデザインした名作椅子「セブンチェア」や、アップルの「iPod」。さまざまな要素が整理しつくされ、非常に完成度の高いプロダクトになっています。つまり、伝えたいことが、限りなく完璧に近いかたちで表現できていると思うのです。

アートディレクターの本質も、まさにそういうことです。整理することでいちばん大切なものを見つけ、磨き上げてデザインする。それがうまくいけば、見る人にメッセージを限りなく完璧に伝えることができる。つまり、僕のやっていることは、ブランドや商品と世の中とを結び付ける、コミュニケーションデザインの仕事なのです。

本質を捉えなければ、いい結果は生み出せない

もっとも、僕も最初からこうした意識をもっていたわけではありません。最初はやはり、アートディレクターというのはアーティストに近いポジションだと思っていました。どちらも自分の〝作品〟を作り上げる仕事だ、と。アーティストは作品自体が商品になり、アートディレクターは自分の〝作品〟をメディアや企業の広告枠に当てはめるもの——。美大生の頃は、そう考えていました。

そうではないと気づいたのは、大学を卒業して広告会社に入社した後。日々、制作の現場に携わりながら、広告が思いのほか注目されないものだということを痛感しました。何日も徹夜し、皆で細かいことまで侃々諤々の議論をしながら作ったものが、ほとんど話題になっていないのです。自分自身、実生活で毎日大量の広告を見ているはずなのに、記憶に残っているものはめったにありませんでした。

どんなにカッコイイ〝作品〟を作っても、本当の意味で人の関心を引かなければ意味がない。単に奇抜なだけの表現は、瞬間的に注目されるだけで、すぐに記憶から消

えてしまいます。商品の本質をきっちり捉えて効果的に表現してこそ、心に残るものを作ることができる。大切なのは自己表現じゃなく、どう人々に伝えるか――つまり、デザインやビジュアルの力を使って、本当に伝えたいことを相手に届けることではじめて、広告は機能するのだと自覚したのです。

そうしたアプローチがうまく機能した一例が、一九九六年に担当した、ホンダのステップワゴンの広告です。当時、ミニバンといえば、家族サービスのための車という風潮でした。休日に家族で過ごすということが、ポジティブな感覚ではなかった時代です。決して格好いいイメージとは言えず、僕自身まだ結婚していなかったこともあり、最初はあまりピンときませんでした。

こんなとき、以前なら自分のエゴでイメージを膨らませていたことでしょう。スタイリッシュな新しいファミリー像を無理やり作り上げ、ユーザーに押しつけていたかもしれません。ですが、ここで冷静になって考えてみました。個人的な嗜好は置いておいて、この車が持っている本質的な価値に対して素直に向き合ってみようと。家族みんなでどこかへ出かけることは本当はとても幸せな事で、それがすごく素敵に見えるように表現してあげれば良いのではないかと考えたのです。

ステップワゴンは、休日に活躍させたいファミリーカー。だから、子どもと一緒に遊びに行く楽しさに狙いを絞り込み、そこをとことん強調しました。スローガンは、「こどもといっしょにどこいこう」。車自体の写真はうんと小さくして、子どものお絵描きのような手描きロゴや動物の絵などを画面いっぱいにちりばめ、まるで絵本の世界に飛び込んだかのような広告に仕上げたのです。冒険に出かけるようなワクワク感がダイレクトに伝わったからでしょうか、従来の自動車広告のイメージを覆す大胆な手法は大好評でした。セールス的にもミニバンカテゴリーナンバーワンの座を射止め、キャンペーンは七年間も続きました。

実は、広告はコミュニケーションデザインを行う仕事だというのは、学生時代の授業でもさんざん言われていたことでした。ですが、仕事の現場を経験してはじめて、身体で理解することができたのです。

HONDA STEP WGN
こどもといっしょにどこいこう。ステップ ワゴンいかしてる!
たのしいぞ! 走りはぐんぐん、きもちよくドライブだ。
室内ひろびろ、乗り降りラクラク、いいね、みんなすっかりゆったり気分。
Gコントロール技術で、安全だってきっちりと。さあ秋のお出かけ、わくわくするね!

整理術は、仕事も生活も劇的に変える!

メッセージを相手に伝えるというのは、本当に難しいことです。伝わっているはず、と自分では思っていても、実際には伝わっていないことのほうがはるかに多いもの。全体の半分くらい伝わればいいほうで、一〇〇%わかってもらうのは至難の業といっていいでしょう。

これはやはり、伝えたいことを整理するのが大変だからだと思うのです。何が大事なのか。どうやったらうまく伝えることができるのか。僕は広告やシンボルマーク、商品などのデザインを通してそれを表現しようとしているわけですが、実は、言葉の力というのもたいへん大きいのです。もちろん、言葉にできないものをビジュアルで表現しているのですが、言葉で作品(=考え方)を説明するということも非常に大切です。

昔は、格好いいとか面白いとか思って作ったデザインを見せても、相手にピンときてもらえないことがしばしばありました。「なんでわからないんだ！」と歯がゆくなったものですが、いま思えば、自分のなかで表現したいことが整理しきれていなかったのでしょう。それが作品にも出てしまっていました。

なぜこのデザインにしたのかという過程を相手に理路整然と語れるように、自分の思考回路の整理をきっちり行うようにしたら、作品からあいまいな部分がどんどん消えていきました。頭の中に一点の曇りもなくなると、目的がフォーカスされて、ピシッと論理の筋道が通ったのです。すると、相手が疑問を挟む余地のないほど、自分の作品を完璧に説明できるようになった。言い換えれば、作品が完璧に自分のものになったのです。出来上がったものにも強さが備わり、その結果、プレゼンテーションが驚くほどスムーズに進むようになりました。そして、世の中に出たときも、強烈なインパクトをもって明快に伝わるようになったのです。

僕自身の仕事の例をいくつか挙げましたが、整理のポテンシャルを感じていただけたでしょうか。なぜアートディレクターである僕が、この本で〝整理術〟を語るのか。そう、整理というのは、価値観を変えてしまうほどものすごい力を秘めているのです。

ここで語る整理とは、巷にあふれる細々した生活の知恵ではありません。伝えたいことを明確にするという、コミュニケーションの本質に迫るアプローチなのです。

整理術を身につけることが、僕の仕事にもたらした効果は計り知れません。アートディレクターという仕事に限らず、あらゆるビジネスシーンにおいて、潤滑なコミュニケーションの原動力となるはずです。結果、身の回りも頭の中も常にクリアな状態になり、仕事面を含めたライフスタイルが劇的に変わる。そのダイナミズムを、本書を通じてぜひ実践し、体感してほしいと思います。

2章　すべては整理から始まる

問題の本質が見えないまま、対処していないか

複雑すぎる世の中に、危機感をもって挑むべき

整理というと、面倒くさいとか苦手だとか感じる人は多いでしょう。でも、整理をおろそかにしたままの場合と、常にクリアですっきりした状態になっている場合とでは、仕事の能率も精度も格段に違う。これは明言できます。僕は根っからの整理好きなのですが、それに磨きをかけていくことで、コミュニケーションデザインという仕事の本質を摑むのにどれだけ役立ったかわかりません。

では、どんなプロセスで整理を行っていけばいいのか。それを説明する前提として述べておきたいのが、いかに現代の世の中が混沌としているか、ということです。現状を把握するということが、不可能に近いくらい難しい。これは、実はたいへん危機的なことだと捉えています。

ふだんの生活ではあまり意識しないかもしれませんが、現代社会というのは非常に複雑な状況です。リアルな世界とインターネットなどのバーチャル世界が境目なく存在し、脳の中で作られた〝脳化社会〟がイメージ世界として広がるなど、いくつもの世界が混在し、とてつもないカオス状態が蔓延しているのです。無数の情報が飛び交っているのはもちろんのこと、たったひとつの情報でも見る人によって捉え方は千差万別です。しかも、情報は刻一刻と変化しています。ただでさえ数多くある情報が、視点によって全く違うものになったり、さらに変化し続けているわけです。そう考えると、現状を把握するということがいかに難しいことなのか、想像していただけるのではないでしょうか。

しかし、多くの人は、自分の目の届く限られた範囲内で現実を理解し、あまり疑問をもたず、世の中をシンプルに捉えているのではないかと思います。まず、こうした状況に危機感をもつことが、問題解決への第一歩となるのです。現状把握の難しさを認識しないままだと、物事の本質に迫り、筋道を立てて考えてみようとまでは思えないでしょう。また、自分で判断ができず、他者の表面的な分析に振り回されてしまう羽目になります。調査の結果や世間の常識を鵜呑みにしてしまい、現状把握ができたつもりになっているケースが多々あるのではないでしょうか。

混沌とした現状を認識し、それに対処する心構えを、ぜひもってください。そして、問題の本質に迫ろうとするポジティブな姿勢を保つことが、整理術の大前提となるのです。

その場しのぎの対処では、問題は解決しない

前述したように、物事の根源まで立ち返って解決しようと思わないと、本当の意味での問題解決にはつながりません。表面の絡んだ糸だけをほどいても、奥がこんがらかったままではしようがない。とはいえ実際は、本質的な問題が見えないまま、その場しのぎの対処がなされている場合が、実に多いのではないでしょうか。

これは、仕事でさまざまな企業と付き合って、客観的な目で見て実感したことです。どの企業でも、本質的な問題にはなかなか目がいかず、自分たちの商品に誰もが関心があるはずだ、という前提で物事を進めているのです。最初は驚きましたが、結局それはどの業界にもいえることでした。本題に入る以前に、「いや、実際はそんなこと

ないですよね」と、客観的な視点で根本に立ち返ることを促さないといけないケースがほとんどです。

広告会社に入社したときから、この点は疑問に思っていました。たとえば、ある広告キャンペーンの打ち合わせに参加したら、なぜか最初からディテールやプレゼンを通す方法の話ばかり。「何をやっているんだろう？　これでは、この広告に関心をもってくれる人は誰もいないんじゃないの？」と、内心首を傾げました。なぜなら、肝心のコピーもビジュアルも全然インパクトがなかったから。今でこそ随分変わりましたが当時の広告業界には、〝広告というのは皆に注目されるものだ〟という前提がありました。ですから根源の部分には誰も疑問を抱かず、細かい点の調整にばかり話が進んでいたのです。〝広告で人々を注目させることは相当難しい〟という本質的な問題を見据えない限り、何の解決にもならないのに。

もうひとつ、広告の例を挙げます。限られた予算のなかで、やれCMだ、雑誌だ、SPキャンペーンだと、細々した企画をまんべんなく展開すると、結果としてどれもパッとしなくなってしまいがちです。そしてうまくいかなくなると、対処的に細かい変更を重ねて、悪循環に陥ってしまうパターンが多く見られます。

それでは、どうしたらいいのか。キャンペーンやＣＭ自体が目的なのではなく、「注目を集めることが大切だ」という本来の目的に一度立ち返ってみればいい。

たとえば、テレビや雑誌などのマスメディアを使った大々的な広告戦略をいっさいやめて、何かニュースになるようなことを仕掛けてみるというのもひとつの手です。以前、ＳＭＡＰのＣＤ発売キャンペーンを手がけたときは、渋谷の路上パーキングの車にオリジナルカバーをかけたり、道行く人にステッカーを渡して服に貼ってもらったりと、街全体をひとつのメディアとして捉え、ハプニングを起こしました。通常のマス広告ともＰＲとも違うやり方で話題を呼ぶことに成功し、テレビや新聞に大きく取り上げられたのです。このように、問題の本質を見据えると、新しい視点も見えてくるものです。

表面的な対処が真の問題解決にならないのは、対症療法が病気の原因そのものを取り除くわけではないのと同じです。少し話がずれるかもしれませんが、僕自身、定期的に運動を始めたら、そのことをいっそう自覚するようになりました。実は三年ほど

OICITY
横断禁止

前から、バランスボールを使ったトレーニングを続けています。地味な訓練ですが、身体が驚くほど丈夫になりました。苦手だった早起きもできるようになったし、腰痛も治って風邪もひかなくなった。身体感覚が全体的に鋭くなりました。

このように体調や身体感覚が格段に向上したのは、腹筋をはじめ身体の体幹部分の筋肉を整えることで、身体全体の軸を調整できたからだと思うのです。現代人は、身体の左右のバランスが崩れている場合が多く、それがさまざまな不調の原因になっているといいます。対症療法で症状を一時的に鎮めるのではなく、身体の軸を整えることで本来の健康を取り戻す。根本的な問題と向き合うことで、スムーズに解決へと至ることはたくさんあるのです。

プロセスに沿って、整理術を確実に身につける

状況把握・視点導入・課題設定の順に進める

では、仕事上の整理の話に戻ります。どんなプロセスで整理を行っていけば、問題の本質をきちんと捉えて対処することができるのか。僕はたいがい、このような順序で進めています。

1. **状況把握／対象（クライアント）を問診して、現状に関する情報を得る。**
2. **視点導入／情報に、ある視点を持ち込んで並べ替え、問題の本質を突き止める。**
3. **課題設定／問題解決のために、クリアすべき課題を設定する。**

プロセスとしては、実に単純です。でも、ひとつひとつに大きな意味がある。面倒だからといって、これらを飛ばして行動に移ると、本質から程遠い、的はずれな結果

になってしまいます。

最初の、状況把握というプロセス。すべてはここから始まります。何か問題を抱えているクライアントが、僕のところにやってくる。皆、結果としてうまくいっていないという現状はわかっているのですが、何が原因なのか、何が本質的な問題なのかがなかなかわからないのです。

そこで、きめ細かく言葉を交わしながら、状況を丁寧にひもといていきます。かかる時間は、クライアントによってさまざま。キリンのように、広く知られ、自分の生活と密着した製品を作っている企業の場合は、外から見ていてもわかる部分が多いので、そんなに時間はかかりません。一方、ターゲットが女性や高齢者など、個人的に接点が少ない商品や、世の中にまだあまり認知されていない商品を作っている企業の場合は、じっくり時間をかけて状況を把握していきます。

微妙なニュアンスまで、問診で把握する

たとえば、冒頭で例に出した、キリンの発泡酒「極生」の場合。このときは、ふだ

ん馴染みのある飲み物ということもあり、問診に多くの時間はかかりませんでした。

とはいえ、状況はなかなかハードなものでした。クライアントは、数年前に大ヒットした「淡麗」に続く看板アイテムを作ろうとしていたのですが、競合商品が多く、なかなか売れる新作ができない。リーズナブルであることをさらにアピールしようと、この新商品を従来の発泡酒よりも一〇円安い価格で提供することは決まっていました。そのうえで、発泡酒のネガティブなイメージを打開し、新しい価値を作りたい、というのです。非常に難しい依頼でした。

では当時、発泡酒は一般的にどんなふうに見られていたのか。発泡酒とは、麦芽量を少なくすることで税率を抑え、安価で提供することができるようにした飲み物です。誕生の背景には、バブル崩壊後の不景気のなかで、リッチな商品より安価でコストパフォーマンスの高い商品の価値が重宝されるという傾向がありました。たとえば、大型車よりコンパクトカーの人気が高まる、といった具合にです。安価な輸入ビールが押し寄せてきたのもこの頃でした。

こうした状況をバックに生まれた発泡酒は、時代が生んだ寵児となりました。爆発的な勢いでシェアを伸ばしていた二〇〇二年時点、各メーカーは新商品を争うように発表し続けていたのです。消費者のイメージも固まりつつある頃でした。とはいえ、発泡酒とは、ひと言でいえば〝ビールの廉価版〟。麦芽が少なくてコクはビールに届かないけれども、安いから飲むという人が大多数でした。成長の著しいヒット商品ではあるけれども、「お父さん、気づかぬうちに発泡酒」などと言われたように、決してポジティブな支持があったわけではありません。

こうした現状のなか、さらに価格の安い新作を出すわけです。競合商品がひしめくなかで、一〇円の違いがどれだけ強いアピールになり得るのか。安さを強調することで、さらに安っぽいイメージを増長してしまわないだろうか。どうしたら、安さもアピールしつつ、イメージをいいほうに変えられるのか。問診を重ねていくうちに、徐々にさまざまな問題点が浮かび上がってきました。

このように、問診とは、現在置かれている状況をきっちり把握し、問題点や重要な点を浮かび上がらせるためのものなのです。通常のビジネスシーンでも、企画書を作る際などにぜひ活用したいもの。該当のビジネスに直接関係のない身近な人に対して、テーマに沿ったヒアリングをしてみることをおすすめします。この場合、数の多さではなく、いかにリアリティを引き出せるかが重要なポイント。たとえば、単に好きか嫌いかだけではなく、すごく好きなのか、まあまあなのか、大嫌いなのか。微妙なニュアンスを、どれだけ汲み取れるかが大切です。このニュアンスというのは、いわゆるマーケティング調査の数字上には現れにくい部分。人間と人間が直にコミュニケートした際の感触というのは、実に鋭いものなのです。

医者の場合にたとえると、本来の〝問診〟では、ただお腹が痛いというだけでなく、お腹のどこが痛いのか、そして激痛なのか、しくしく痛いのか、かすかに痛む程度なのかを知ることが大事。また、〝手当て〟という言葉があるように、医療機器を使う前に、お医者さんがまずは患部に手を当てて具合を診る。そうやって、五感で感じることでデリケートな状態を汲み取るのが基本です。

問診によって、微妙なニュアンスに至るまで把握していく。人間の感覚を駆使するこの最初の作業は、欠かすことのできない大切なプロセスなのです。

視点を持ち込んで、問題の本質に迫る

問診によって状況を把握したら、次は問題の本質を突き止めるために、情報の因果関係をはっきりさせていきます。把握しただけの段階では、さまざまな情報が羅列されたままで混沌としている状態。並べ替えたり、プライオリティをつけていらないものを捨てたりすることで、あいまいな部分をなくしていきます。これがこうだからこうなる、というふうに関係性を見出し、整合性がとれるように整理していく。

そのために不可欠なのが、自分なりの視点を導入することです。バラバラの情報を、ある視点に沿ってつなげていくことで、状況の根源となっている問題の本質が表面に現れてくるのです。この〝視点導入〟が、整理のプロセスのいちばんの難関といっていいでしょう。

再びキリン「極生」の例に戻ります。問診で把握した状況を打開するのは、一見難しそうでした。無理やりポジティブなイメージを作っても、商品とかけ離れたものに

なってしまっては意味がありません。かといって、安さだけを強調しても魅力に欠けてしまう。そこで、問診で引き出した情報を並べて、〝マクロの視点〟を持ち込んでみました。商品そのものから発泡酒全体へと視点をぐっと引き、発泡酒のマイナスイメージがどこからきたのかを見つめ直してみたのです。

すると、ハッと気づきました。〝無理にビールに似せようとしていた〟ことがすべての原因、つまり問題の本質ではないか、と。発泡酒の広告もパッケージも、ビールのイメージを踏襲していました。いかに発泡酒であることを気づかせず、ビールらしく見えるかを苦心してアピールしている。発泡酒本来のオリジナリティを打ち出していなかったので、かえって安さばかりが強調される結果となっていたのです。これは、キリンに限らず、ビール業界全体にいえることでした。だから、「発泡酒独自のポジティブな立ち位置を築くことが最重要課題だ！」と確信しました。マクロな視点によって情報の因果関係がはっきりしたことで、進むべき道が見えてきたのです。

このように、問題の本質が表面化してくると、自ずとクリアすべき課題が見えてくるものです。ちょっと複雑な話になりますが、問題の本質には二通りあります。ひとつは、「極生」の場合のように、取り除くべきネガティブな点である場合。これは、課題をクリアすることで問題解決されます。もうひとつは、誇るべき点があるのに埋もれてしまっていた場合。この場合は、掘り起こした誇るべき点を磨いてアピールすることが課題となります。つまり、問題の発見がそのまま答えになっている。

いずれにせよ、問題の本質を突き止めることとは、〝何がいちばん大切なのか〟を見つける、つまりプライオリティをつけることなのです。これはすごく難しいことだと思います。でも、あいまいなままにしておくと、後で必ずほころびが出てきてしまう。「極生」の場合は、商品の詳細よりも発泡酒業界全体の現状、さらにその現状に至る原因を突き止めることが大切でした。このように、物事を整理しながらプライオリティをつける訓練を、日頃からぜひ行っておきたいものです。これが経験値として身につけば、必ず仕事の精度が上がるはずですから。

課題を見つければ、問題の半分は解決する

課題が見つかれば、しめたものです。進むべき方向が見えたのですから、この時点

でプロジェクトの半分は完成しているといってもいい。

「極生」の場合も、その後の進行は実にスムーズでした。「発泡酒としての独自のポジションを確立する」。この課題を設定したときに、実はもうひとつの〝視点導入〟を行っていたのです。いままでネガティブだと考えられていた要素をもう一度見直してみて、ハッと思い当たりました。これらのマイナスイメージは、そのままプラスに転換できるのではないか、と。〝ビールの廉価版〟ではなく、〝カジュアルに楽しめる現代的な飲み物〟、〝コクが足りない〟のではなく、〝ライトで爽やかな飲み口〟というふうに。ビールの真似という視点ではネガティブな要素だったものが、裏を返せば立派なアピールポイントになり得ることだったのです。ぜひ、新たな価値観としてこれらを定着させたいと思いました。

ファッションにたとえてみましょう。ビールをスーツ、発泡酒をTシャツにジーンズというふうに置き換えてみてください。いまどき、スーツを買うお金がないからTシャツを着ているとは誰も思わないでしょう。あくまで自分の好みで、カジュアルなスタイルを選んでいるわけです。そのほうがシンプルで自由だから、といった具合に。こうしたポジティブな気分に転換できたらいいと考えたのです。

そこで、パッケージデザインは、商品名の「極生」とキリンのシンボルマークの聖獣のみを強調し、シンプルでクールなイメージを打ち出しました。さらに、アルミの素地のままの銀色のボトルにブルーの一色印刷で仕上げることで、ライトで切れ味のよい感覚とともに、安さの理由もさりげなくアピールしたのです。通常のビールのパッケージは、七〜八色も使ったリッチな仕上げがほとんど。こうした常識のなか、無駄を省くことで、〝安っぽい〟ではなく〝安いには理由がある〟という感覚を、ビジュアルでダイレクトに表現できたと思います。

このように、発泡酒を捉える視点をがらりと転換したことが、このプロジェクトのなかで最も大きなディレクションでした。その前に〝マクロに引いて見る〟ことで問題の本質を浮かび上がらせましたが、〝反対側から捉えてみる〟ということもまた、視点を見つけるうえでの重要なキーワードなのです。

結果的に「極生」はヒット商品となり、発泡酒独自のポジションを確立することに成功しました。「極生」以降、発泡酒は決して引け目を感じる存在ではなくなったのです。むしろ、ビールに完全にとって代わる存在になっていったといっていい。現在

極生
GOKUNAMA
Kirin's passion combined with its
technology brings you the
of Happo-shu. A refreshing
never forget. Enjoy it on any
〈生〉

では、以前の発泡酒のポジションは、「第三のビール」が占めています。ビールはといえば、プレミアム志向へとシフトしていきました。

「極生」の開発を通じて、ビール業界の現状を見直すきっかけになったのも、決して対処的な処置に走らなかったからです。状況を把握したうえで問題の本質を見据え、目指すべき課題を設定したからこそだと思います。

課題＝登るべき山と考え、コースを見極める

以上が、整理を進めていくプロセスです。キリンの「極生」を例に、状況把握、視点導入、課題設定という三つのプロセスを説明しましたが、概要は伝わったでしょうか。さらに、ビジュアルとしてイメージが浮かぶようなたとえも挙げてみましょう。

課題を見つけるということは、いうなれば、登るべき山を見つけることです。問題の根源がわからない最初の状態は、樹海に迷い込んだ様子を想像してみてください。どっちへ行けばいいのかわからず、やみくもに進んでもうっそうと茂る木々が広がるばかり。ところが、歩きながら状況を把握していくにつれて、遠くのほうに光が見え

てきます。光に向かって進んでいくと、ついに山が現れる。この山を登れば助かる、というイメージです。とはいえ、登ることも一筋縄ではいきません。コースがいくつもあり、誤ると頂上までは辿り着けないのです。

これはつまり、アプローチの仕方を間違えると目的達成の完成度が低くなってしまうということを意味します。また、山の高さはクライアントのモチベーションによっても変わってきます。意志の強い人ほど、高い山を目指そうと努力し、困難を厭いません。コミュニケーションも潤滑にとれますから、ゴールのイメージを共有しつつ、確実に進んでいくことができるのです。

一方、事業の規模が大きくなりすぎたり、方向性があいまいになってしまうと、登るべき山の姿が霞んでしまいがちです。こうした場合は、視点をしっかり定めることで、霞のなかから輪郭を浮かび上がらせてあげるのです。

整理して状況をクリアにしていく感覚を、このたとえでイメージしていただけたでしょうか。さらに、単純化した記号で説明したのが、60、61ページのチャートです。整理のプロセスを、より感覚的に理解してもらえるのではないでしょうか。

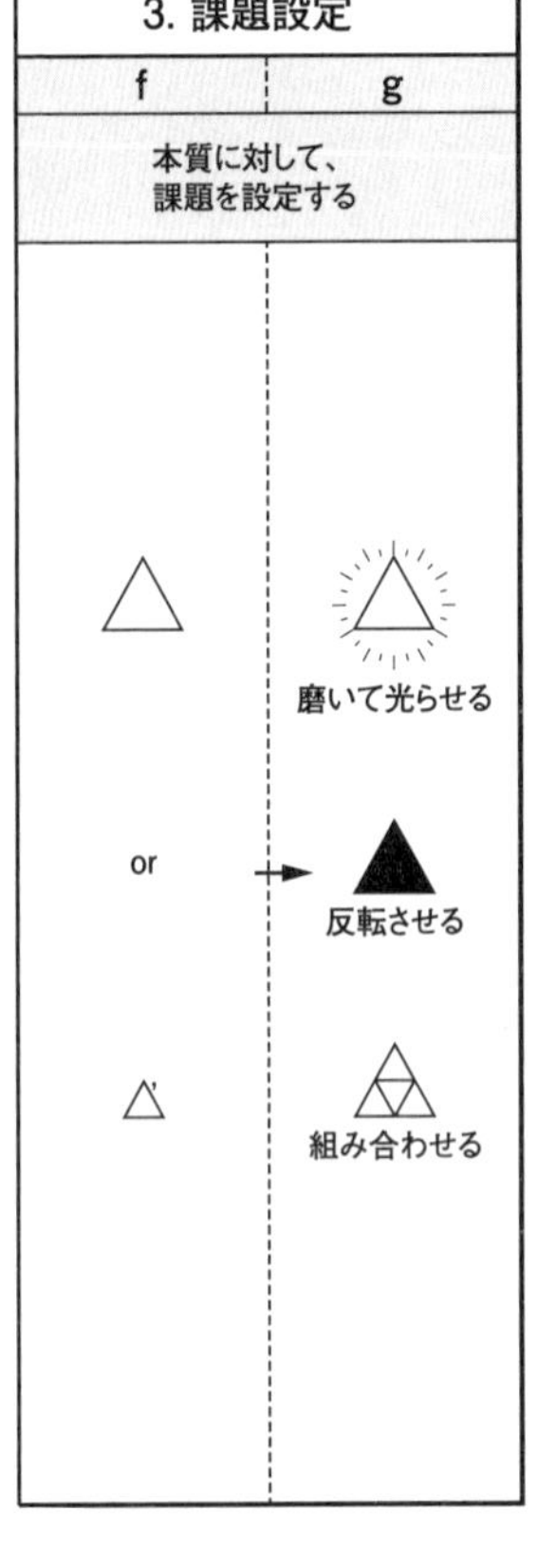

1. 状況把握

問題の本質を突き止めるため、まずはクライアントを問診。情報を引き出して○△□というふうにずらり並べてみる。(b→c)
情報がクライアントの頭の中にしかない場合は、見えないものを見えるようにするという一歩前のプロセス、つまり思考を情報化するところから始める。(a→b)

2. 視点導入

たくさんある情報を、並び替えたりいらないものを捨てたりして、あいまいな部分をなくしていく。不要な小さい○△□や重複しているものは捨てる(d)。さらに視点を導入することで、情報の因果関係をはっきりさせる(d→e)。

すると、問題の本質である△が見えてくる。

視点によっては、△のなかに潜んでいるさらなる本質△’が見つかることもある。

3. 課題設定

見つけた問題の本質である△または△’に、課題を設定して解決に導く。(f→g)
本質がポジティブなものである場合は、磨いて光らせたり組み合わせたりして、埋もれていたものをアピールできるようにする。本質がネガティブな場合は、反転させるなど発想を転換して、マイナスをプラスに変えて魅力を引き出す。

● 整理のプロセス

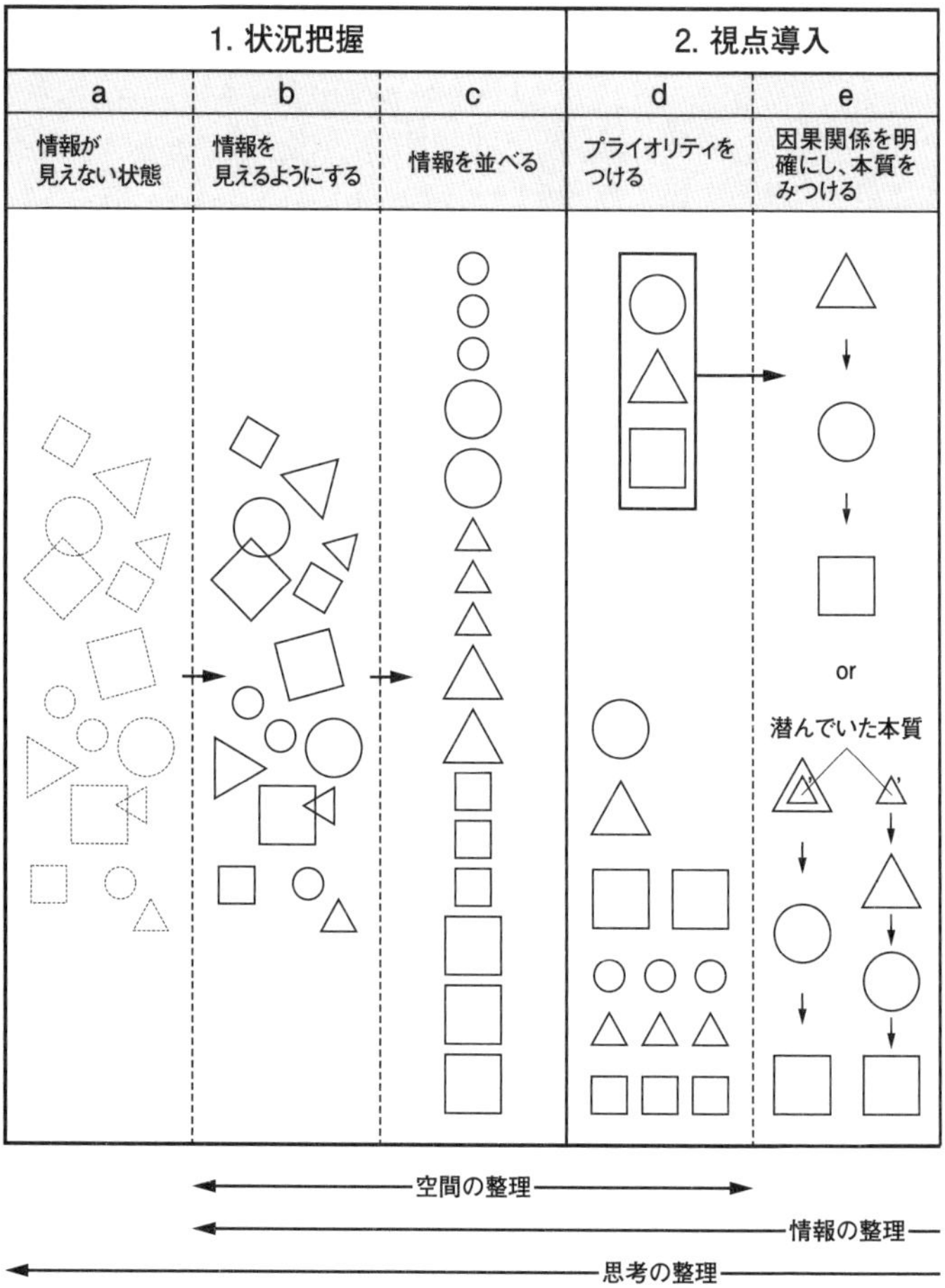

1. 状況把握
2. 視点導入
a
b
c
d
e
情報が見えない状態
情報を見えるようにする
情報を並べる
プライオリティをつける
因果関係を明確にし、本質をみつける
or
潜んでいた本質
空間の整理
情報の整理
思考の整理

空間から思考まで、目指すは三レベルのクリア

これまで、いくつかの事例やチャートを挙げながら、整理のプロセスとポイントを述べてきました。とはいえ、観念的な話も多く含まれるので、なかなか実践には結び付けにくかったかもしれません。

そこで、次の章からは、さらに身近に感じてもらえるよう、以下の三つのレベルごとに具体的な整理術を説明したいと思います。

1. 空間の整理術
2. 情報の整理術
3. 思考の整理術

どれも基本は同じなのですが、徐々に難度がアップしていきます。まずは、「空間の整理術」。机周りやPC、オフィスなど、身の回りを取り巻く空間をすっきりさせ

ることから始めてみてください。リアルな部分をきっかけにすると、コツを掴みやすいものです。頭ではなく身体で実感することが、習得への何よりの早道なのです。ここでまず、プライオリティをつけて大切なものを見極める訓練をきっちり行います。

次は、「情報の整理術」。テキストや画像といった、実体はないけれども、形にはなっているものの整理です。空間と違って触ることはできませんが、目には見えるので、情報同士の因果関係をはっきりさせていくことができれば、スムーズに扱うことができると思います。そのためには、バラバラな状態の情報をひとつひとつ吟味しながら、つなぎ合わせていかなければなりません。ここでは、その際にキーポイントとなる、〝視点を導入する〟ためのテクニックを紹介します。

最後に「思考の整理術」。これは、最も難しいこと。つまり、人の考えていることを整理するのです。テキストにも画像にもなっていないので、見ることすら叶いません。頭の中にあるものを、うまく引き出して組み立てなくてはならないのです。リアルなものに比べて観念的なものはどうしても実感が湧きにくいですから、問診を重ねつつ徐々に核心に迫るしかない。ここで最も重要なポイントとなるのは、思考を情報化すること。見えないものを見える状態にしてしまえば、あとは「情報の整理術」とプロセスは同じです。「情報の整理術」の上級編だともいえるでしょう。この難関をクリアすれば、相手の言いたいことも自分の言いたいことも明確になりますから、コミュニケーションがグッと円滑になるはず。打ち合わせでも、ふだんの会話でも、基本的なアプローチは同じです。

そう、ビジネスシーンはむろんのこと、生活のあらゆるシーンに整理術は活用できるのです。まさに、〝整理術はすべてに通ず〟。部屋が散らかりがちな人も、いい企画書が作れないと悩んでいる人も、プレゼンテーションが上達しないという人も、ぜひトライしてみてください。

3章　レベル1「空間」の整理術――プライオリティをつける

空間の整理の目的は、快適な仕事環境を作ること

整理を徹底して、リスク回避を図る

「オフィスとは思えないくらい、シンプルで整然とした空間ですね！」

僕の事務所「サムライ」を初めて訪れた人は、大概こんなふうに目を丸くして驚きます。さらにこんな言葉も。

「デザイナーなのに、どうしてこんなにモノがないのですか？」

確かに、そう感じられても不思議ではありません。現在の僕のオフィスは、正方形に近い四角形の大空間を、二枚の大きな壁でスパッと三分割した、実に簡潔なデザイン。ミーティングスペース、スタッフのワークスペース、僕とマネージャーのスペースに分かれています。

壁や天井は白くペイント、床は一面檜材張りというふうに、全体のトーンに統一感をもたせているところも、すっきり見える理由でしょう。インテリアも簡潔です。ミ

ーティングスペースに置いているのは、二〇人分の椅子を配した長机のみ。壁に大きなアートを一点掛けているだけで、無駄な装飾は極力廃している点も大きなポイントです。

とはいえ、デザインの仕事をしていますから、やはり放っておけばモノは多くなります。意識的に整理を重ねることで、すっきりさせた状態を保っているわけです。自分だけでなく、整理に関してはスタッフ全員にとことん力を入れさせています。

なぜそんなに徹底しているかといえば、結局それが仕事のうえでの、あらゆるリスク回避につながるから。これが重要なのです。

以前、会社に勤めていたときには、たびたび苦い経験をしたことがありました。デザイナーという仕事柄、資料や素材を預かることが多くあるのですが、会社のストックスペースの状態は惨憺たるものでした。なにしろゴチャゴチャで、整理されることなく山のように積み上げられるばかり。

一度、有名写真家のオリジナルプリントが紛失し、ここにあるはずと言われて、四時間くらい必死になって探しましたが見つかりませんでした。結局、印刷所にあったと判明したときは、空しいやら腹立たしいやら……脱力しました。でも、最初からここにはないとはっきり言える自信がなかったのも事実。だから、自分が独立したら、こうしたトラブルはいっさい起こさないよう、整理は徹底して行おうと固く決心していました。

身体を使う作業で、整理の効果を実感

「モノを絞って、すっきりと気持ちいい環境のなかで、効率的に仕事をしたい」

これが僕の〝空間〟の整理を行ううえでの大前提になっています。整理がきちんとできれば、自分が把握していないものがいっさいない、クリアな状態になる。そうすれば仕事の効率も上がるし、リスク回避にもなるのです。

片づいていて、かつどこに何があるかを完璧に把握していれば理想の状態。一見ゴチャゴチャしているようでいて、本人が把握できているのなら、まだいいほうです。最悪なのは、どこに何があるかわからないのに、作業する空間をうんと圧迫しているという状態。こうなると、作業がしにくいうえに、いざ何かを探すというだけでかな

りの時間をとられてしまうし、トラブルのもとになることは明白です。

自分の仕事場の状況を想像してみてください。モノが少なくすっきり片づいた机と、天板が見えないほどゴチャゴチャと散乱した状態の机。どちらの環境が快適かは、一目瞭然です。それはわかっていても、ついつい散らかしがちにしてしまうという場合は多いですよね。

おそらく、仕事を優先するあまり、机周りの整理は後回しになってしまうのでしょう。でも、それでは順番が逆なのです。まず、仕事をする場所をすっきりさせることが、仕事の効率をアップさせることにつながるのです。

ですから、〝空間〟の整理術は、年末の大掃除のような義務感や、しようがないという気持ちで取り組むのはおすすめしません。整理することは、仕事の精度アップに直結する――こうしたポジティブな目的のもとに、積極的な気持ちで取り組んでください。

〝空間〟の整理は、最初に取り組むべき整理術としては打ってつけです。なぜなら、物事を頭の中だけで心底理解するというのは、実に難しいものだから。身体でもって状況がクリアになっていく様を体験するのが、いちばん実感しやすいのです。そのためのテクニックとして、この章では〝プライオリティをつけること〟を徹底して提案します。大切なものがわかれば、捨てるものもぐっと決めやすくなるでしょう。自分の身近な部分が改善されていくのがわかると、整理の成果が面白いほどリアルに理解できるはずです。

まずは、身近なカバンの中身の整理から

果たして、カバンの中身はすべて必要か

デスク周りの話をする前に、さらに身近なカバンの話から始めましょう。皆さんは、ふだんのオンの日には、どんなカバンを持ち歩いていますか。そして、その中身は。

ちなみに、僕はたいてい手ぶらです。持ち物といえば、

・携帯電話
・自宅の鍵
・カードケース（中身はクレジットカード二枚、事務所のカードキー、紙幣数枚）
・小銭

この程度なので、分散してポケットに入れています。

「どうしてそんなに身軽でいられるんですか!?」

案の定、よく言われます。僕も以前は、カバンにいろいろなモノを入れて持ち歩いていました。カバンというプロダクト自体が好きで、愛用品がいくつもありましたし。手ぶらスタイルになったのは、ここ二年くらいの間です。きっかけは、ある日ふとカバンの中身の多さに違和感を覚えたこと。毎日使わないものを、惰性で入れっぱなしにしているんじゃないかと思い当たったのです。

整理好きの血が、がぜん騒ぎました。デジタルカメラ、iPod、ノート、名刺入れ……。たくさん入っていた中身を、本当に必要なのかと、ひとつひとつ厳しく自問自答してみました。

たとえば、コンパクトタイプのデジカメ。果たして、一カ月に何回くらい出先で使っているだろうかと考えてみたら、たった一、二回しかない。ならば、本格的な撮影が必要なときはハイエンドなものを持っていけばいいし、メモ程度に撮るなら、携帯電話に付属したカメラで事足りるんじゃないだろうか。こう思って一度デジカメを持つのをやめてみたら、全然困ることはありませんでした。

さあ、この調子です。iPodも、手放せないと思っていたわりに、実は聴く時間はほとんどありませんでした。四〇〇〇曲ものストックから聴きたい曲を選ぶ楽しさは、旅行のときなどにとっておけばいい。こう考えて、代わりにｉＰｏｄ ｓｈｕｆｆｌｅを活用することにしました。音楽が聴けるとしたら、いわゆる通勤時間。家から事務所までは徒歩一五分くらいの距離なのですが、外での打ち合わせもなくゆっくり歩いて通勤できる日には、買ったばかりのＣＤを読み込んで、ポケットに入れていくのです。思ったとおり、ふだんはこれで十分満足できました。

次は名刺入れ。これも持つのをやめました。どうするかというと、打ち合わせなどで名刺が必要なときだけ、必要枚数をポケットに入れていくのです。入れっぱなしだと傷んでしまいますが、使うときだけ入れているのでその心配はありません。もらった名刺も、名刺入れにしまうとそのままたまってしまいがちですが、ポケットに入れると、帰社したときに取り出して整理せざるを得ない状況になるのです。

以前は心配性だったので、薬類も持ち歩いていました。でも、よくよく考えてみれば、通勤中に倒れるような事態はそうないはず。というわけで、会社のデスクに風邪薬などを少しだけ置いておくことにしました。出先で体調を崩すことがあっても、そのときに近くの薬局で調達すればいいわけですし。

ペンやノートも、持たないことにしました。一見困りそうですが、打ち合わせで使われる紙にちょっとペンを借りてメモすれば、事足りてしまいます。もちろん、会議などでメモをたくさんとる必要があると、事前にわかっている場合は別。プレゼン資料や本などを使ったりする場合もありますから、そういうときは会社に置いてあるカバンを使います。ただ、ふだんの通勤のための荷物は、極限まで絞ってみようと思いました。

スリム化を加速させた、携帯電話の進化

こうしてかなりモノを減らすことはできましたが、難題は財布でした。僕は長財布を愛用していたので、そのままではポケットに入れることは不可能です。そこで、中身を徹底検証しました。まずクレジットカード類は、よく使うのは二枚くらい。これはすんなり絞れたのですが、問題はポイントカード類。増えるにまかせて、かなりたまっていました。が、これらも改めて見ると、一年に一度くらいしか利用しないものが大半です。有効期限も切れがちだったので、持ち歩くのは無駄だなと判断しました。

思い立ってふらりと店に立ち寄るということも、忙しい日常ではほとんどありません。以前は多用していたＣＤショップのカードも、最近ではネットショッピングを利用するようになって必要なくなりました。

それなら、家に長財布とともに置いておき、どこかのショップに行く予定があれば、そこのカードだけ持っていくことにすればいい。このように絞った結果、たくさんのモノが詰まっていた大きな財布は、ほんの二～三枚のカードと紙幣だけが入った小さなカードケースへと、劇的にスリムアップされました。小銭はポケットに入れて、なるべくためずに使うようにすれば、かさばることはありません。

そして、特筆すべき立役者といえば、携帯電話。モノをぐっと減らせるようになったのは、携帯でデータのデジタル化を進めた効果が甚大です。スケジュール管理もメールも連絡先もすべて集約させた、モバイルコンピュータになっているのです。

たとえば、スケジュールはマネージャーが一括して調整しており、何か緊急の変更があった場合はスタッフ全員にメールして、常に最新の状態を共有しています。事務所のＰＣに届いたメールはリモートメールで転送されるので、即チェックできるし、短い返事ならすぐ返せる。こんな具合に、常に現在進行形にしておけるシステムにしたので、紙のスケジュール帳は必要なくなったのです。

〝手ぶら〟がもたらした、予想外の解放感

こうやって進めていったカバンのスリム化計画ですが、僕も一度にすべてを実行してしまうのは不安がありました。やはり、何かしら不具合が起こると思ったのです。そこで、まずは一週間のうち〝手ぶらの日〟を何日か作って実験してみました。何か困ったことが起こるかな、とドキドキしましたが、結果的には全く困りませんでした。それどころか、うんと解放的な気分になれたのです。

これは、予想外の発見でした。手ぶらになると、断然身軽になります。そうすると気分もふわっと軽くなって、無性に歩きたくなるのです。街を散歩したり、ぶらぶらしたり。重いカバンを持っていたときには思いもよらなかったほど、周りを見て楽しむゆとりが生まれました。精神的にものすごく解放されるのです。この気分を一度味わうと、どうしてもっと早く手ぶらにならなかったのだろう、と後悔したくらい。それ以来、手ぶらは僕の基本スタイルになりました。

僕の場合、かなり極端な例だとは思います。営業など、職種によっては手ぶらなんてとうていムリという場合もあるでしょう。しかし、カバンの中身をかなり減らせることは確実です。おそらく、たいていの場合なら三分の一くらいにできるはず。〝本当に必要なものかどうか〟自問自答することで、荷物も気持ちもぐっと軽快になるなら、一度やってみる価値はあると思いませんか。

〝捨てる〟勇気が、価値観を研ぎ澄ます

〝捨てる〟ことは、不安との闘いである

本当に必要なものを自問自答するということは、結果的には、いらないものを捨てることでもあります。この〝捨てる〟という行為が難しい。なぜなら、それは自分のなかの〝不安との闘い〟だからです。

何が起こるかわからないという気持ちから、モノがたくさんあると人は安心するものです。逆に、モノを取り去ることを考えると、裸になってしまうような心もとない気持ちになる。さらに、一度手に入れたモノは、もったいないという思いも渦巻いて、なかなか捨てられなくなってしまう。こうして、捨てるというハードルはどんどん高くなってしまうのです。

しかし、その不安は本当に根拠のあるものでしょうか？　旅行に出かけるときなら、不慮の事態に備えたアイテムをいろいろと持っていくのはわかります。でも、毎日の

通勤なら、不安はたいしてないはずです。何が起きるかわからないというスリリングな状況下で通勤する人は、めったにいないでしょう。

むろん、イレギュラーな日というのもあります。だから、こう考えてはどうでしょうか。まず、絶対不可欠というベースアイテムのラインアップを作る。僕の場合は、携帯電話と自宅の鍵とカードケースです。そうしたうえで、今日は現場の視察だからデジカメがいる、今日は降水確率六〇%だから折り畳み傘がいる、というふうに、その日その日に合わせて持ち物をアップデートするのです。最初からモノを絞りきって、そのほかをバッサリ切り捨てようとすると思い切れないものですが、これなら柔軟に対応できるはずです。

そのためにもおすすめなのが、毎日、帰ったらカバンの中身をいったん机の上に全部あけてしまうこと。こうすれば、入れっぱなしになっているDMや雑誌などは、確実になくなります。僕も、カバンを持ち歩いた日には、必ず帰った時点ですべて中身を取り出して、翌日の持ち物を見直すようにしています。

こんなふうに大事なモノを見極める習慣をつけながら、ときには思い切って、手ぶらの日を作ってみてはどうでしょう。毎日は難しいでしょうから、特別なことがないルーティンワークの日に、ぜひトライしてみてください。もし、なくて困るような事態になったら、再びそのアイテムを追加すればいいのです。百聞は一見にしかず。あれこれ心配するより、実行してみることです。大げさかもしれませんが、〝新しい自分が見つかる〟と言っていいほどの新鮮な体験ができると思うのです。まさに、整理によって得られるスッキリ感を、身体でダイレクトに実感する機会です。

そうして、いらないと判断できるものが確定したら、思い切って捨てる。〝捨てる〟ことは、整理術に欠かせない手法のひとつです。難しいことではありますが、これを乗り越えることができれば、非常に重要なワザを取得したことになる。不安を取り払って、捨てる勇気をもつことができれば、大きな一歩を踏み出せるのです。

捨てるためには、プライオリティ設定が不可欠

とはいえ、ひとつひとつのアイテムを単独で吟味していると、なかなか思い切れないものです。整理の順番としては、こんなふうに進行するといいでしょう。

1. アイテムを並べてみる
2. プライオリティをつける
3. いらないものを捨てる

2章のチャートを使って示すと、83ページのようになります。

ここでは、アイテムを並べた後の〝プライオリティをつける〟ということが重要なポイントです。これができてはじめて、捨てるものが決められるのです。

いちばん大事なものは何か——これを決めるのは容易ではありませんが、そこを無理してでも決めてみてください。真剣に、ドライに考えてみることです。さらに、一番以降の優先順位もすべてつけていくのです。僕の場合は、まず自宅の鍵。これがないと家に入れませんから、生活が成り立たない。鍵をなくしたらホテルに泊まればいいや、という人もいるでしょうが、僕はそれが嫌なのです。家がベースステーションであり、安心できる自分の居場所だという思いがありますから。

次にお金。お金があれば、電話をかけたりタクシーに乗ったりと、トラブルへの何らかの対処ができます。

●「空間」の整理術で身につけるプライオリティの設定

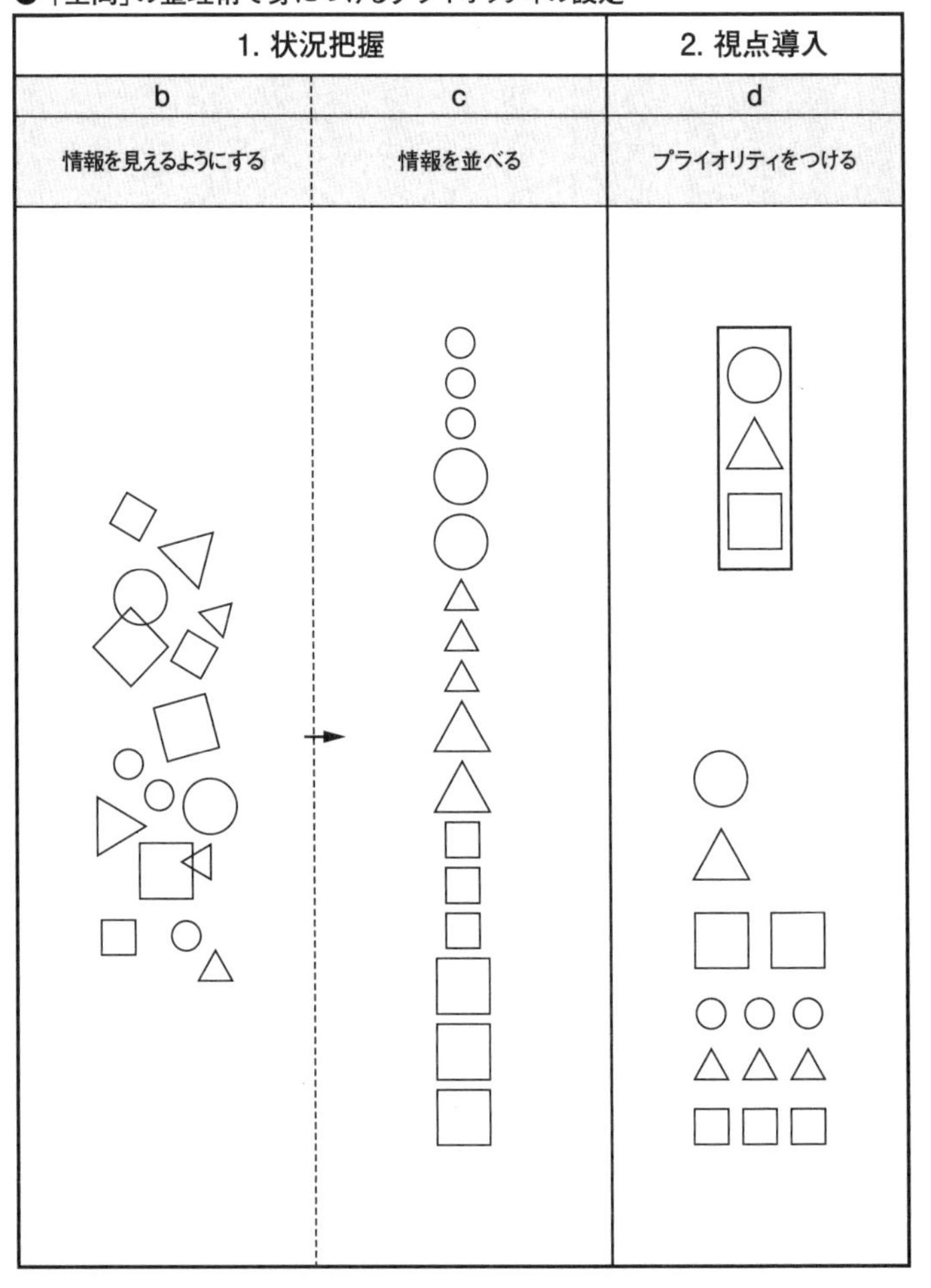

その次が、スケジュール帳代わりも務める携帯電話、といった具合でしょうか。携帯がトップにこないのは、バックアップが家やオフィスなどにもあるからです。順位づけは、人それぞれの価値観によって変わってくるところでしょう。

このように順番をつけていくと、順位が下になるにしたがってどんどんプライオリティも下がっていきます。つまるところ、一〇番目のモノなどは、極端にいえばどうでもよくなる。真剣に考えた結果出した結論ですから、優先順位をつけた後では、そのモノに対する価値観がぐっと明確になっているはずなのです。

捨てることは、〝とりあえず〟との闘いでもある

順位のつけ方のコツとしては、似たような機能のものはとことん比較すること。たとえば、携帯電話とデジカメのカメラ機能。デジカメのほうが画素数的には優れていても、毎日必要なものとはいえないでしょう。飲み会などがある日なら持っているほうが便利でしょうが、ふだんの日なら携帯のカメラで十分。ここで意識したいのは、性能がいいからといって必要とは限らない、ということ。あくまでもTPOに応じた

必要性をじっくり考えてみるべきです。

プライオリティが決まれば、捨てる判断もぐっとつけやすくなります。では、どのあたりで区切るべきか。カバンの中身や机の周りなどの身近な空間の整理では、時間軸で考えるのがいいと思います。今日必要なもの、三日後必要なもの、一週間後必要なもの……。できるだけ直近に絞ったほうがいい。

つい流されがちなのが、「とりあえずとっておこう」という考え方。取り急ぎすぐには必要ないけれども、将来いるかもしれないから捨てずに保管しておけば安心だ——こんなふうに自分を納得させてしまうのは簡単です。でも、その将来とは、不確定な遠い未来の話。「〝とりあえず〟とはいつまでのことなんだろう？」と突き詰めて考えてみてください。実際は、全く予測がつかなかったりするもの。つまりは、そんなに必要なものではないことが大半のはずです。

さらに付け加えると、〝とりあえず〟とっておくことは、整理するうちには入りません。単なる移動で終わってしまうのです。最終判断を先延ばしにしているということでもあります。そうなると、いずれまたプライオリティをつけなくてはならなくなりますから、無駄も出ますし、精度も悪くなる。最終的に、仕事のクオリティが上がらなくなってしまいます。

捨てることは、不安との闘いだと述べましたが、〝とりあえず〟との闘いでもあるのです。いつ必要になるかわからないものより、いまを大事にしたほうが、どれだけ有意義かわかりません。思い切って捨ててしまって、現状をすっきり明確にしておくほうが、頭の中もずっとクリアになるのです。

デスク周りの最適環境を作る

モノの定位置を決めると、把握しやすくなる

では、いよいよデスク周りの話に移りましょう。モノが散乱して久しいという人には荷が重いかもしれませんが、まずは本質的な前提に立ち返ってみてください。

「机は何のための場所なのか？」

そう、作業をする場所です。物置でも倉庫でもありません。ですから、基本的には天板には何も載せないことが理想なのです。机の上で省けないものといえば、電話とPCぐらいでしょうか。あとは、その都度の作業に必要なものだけを置き、作業が終わったら常にしまうことを習慣づけるのです。そうすれば、寿司屋のカウンターのように、いつもきれいでまっさらな状態が保てる。板前さんがネタを切って、握って、

出し終わったら板場をさっと拭いてきれいにする、あの仕事ぶりのイメージです。

そのために欠かせないのが、それぞれのモノに定位置を決めておくこと。これは肝に銘じておくべきです。たとえば、引き出しの一段目の手前にはペン類、二段目には最新プロジェクトの資料といったふうに。これが習慣になれば、デスクトをきれいに保てるだけでなく、どこに何があるか把握しておくことができますから。

さらに、定位置に入りきらないくらい増えてしまった場合の、対応の仕方もポイントです。たとえば、ペンケースがいっぱいになってしまったからといって、別の引き出しにあふれたぶんを入れてしまっては、モノが増えていくばかり。別の場所に進出させるのではなく、いまある場所に収まる範囲にとどめる。これが大切です。あふれそうになったら中身を一度見直して整理し、常に定位置のキャパシティ内でやりくりするのです。「まあいいか」と緩い気持ちで別のところに置いてしまうと、そこからダムが決壊するがごとく、ズルズルとモノが増殖していくきっかけになってしまいますからご注意を。決して定位置内の範囲を超えないよう、固い意志をもってください。

迷ったら、機能が似ているものを比較する

置き場所の範囲内からはみ出しがちなモノの筆頭として、ステーショナリーが挙げられます。たとえば筆記具。まず、置き場所ですが、デスクの引き出しにペントレイがあるなら迷わずそこに。デスクの上にペンスタンドを置くのは、作業場をなるべく広く確保する必要性からもおすすめしません。引き出しのペントレイには、たぶん七〜八本くらいの容量はあるはずです。そこに入る範囲内にとどめても、イラストレーターなどの特殊な仕事でない限り、困ることはないでしょう。

それでも、気がつけばペン類はなぜか増えているもの。ですから、カバンの場合と同様、アップデートがマスト事項です。こちらは毎日でなくても、月に一度くらいで十分。毎月、月初めの月曜日というように、決めておくとより確実です。

いざ整理というときには、トレイからすべて出して、机の上にあけてみてください。黒ボールペンが五本、シャーペンが三本、というふうに、同じ種類のものがだぶっていたら一本にしてしまいましょう。よく使うお気に入りは、たいがい決まっているも

のです。あとはやはり、プライオリティをつけること。「いま本当に、仕事に必要なのはどれなのか？」と真面目に自問すると、数本程度に絞れるのではないでしょうか。

・ステッドラーの製図用シャーペン
・モンブランの青インクの万年筆
・ラミーの赤インクの万年筆
・シャーピーの黒マジック

ちなみに僕の場合、日常でよく使うのはこのくらいです。それぞれの用途はというと、ステッドラーのシャーペンはデザインのラフを修正するときに使います。芯が〇・五ミリという細さなので、デリケートな直しにぴったりなのです。モンブランの万年筆は、手紙を書くとき。礼状やメッセージなど、改まった場面に活躍します。ラミーの赤万年筆は、原稿やラフを大幅に修正するためのもの。さらりとした書き味が気持ちいいのです。修正というのは基本的に楽しくはない作業なので、少しでも気分が軽くなるよう、普通の赤ペンではなくこの万年筆を使っています。シャーピーの黒マジックは、大ざっぱなラフを書くときに欠かせません。価格も安い定番中の定番ですが、乱暴に使うものなので、次々と替えられる気軽さがいいのです。

僕の場合はこんな感じですが、セレクトに迷ったら、機能が似ているものを比較すること。これもカバンの場合と同じです。シャーペンと鉛筆、赤サインペンと赤ボールペン、といった具合に、自分にとってどちらが使いやすいのかを考えてアップデートするといいでしょう。

書類や資料は、最終バージョンだけとっておく

もうひとつ、やっかいなのが書類や資料類。ステーショナリー以上に、増えてかさばりがちな存在です。こちらも、まずは同じものを省いてひとつにすること。また、企画書などバージョンが進化していくものは、最終バージョンだけをとっておくようにします。さらに、可能なものはデジタルデータ化する。

現在進行形の書類をスリム化することはもちろん、過去のプロジェクトの資料も、終了後すぐに整理することです。捨てるかしまうか判断する。しまっておくにしても、

まずスリム化です。僕も、過去のプレゼン資料などは捨てずにとっておきますが、結果に至る過程の段階のものはばっさり捨てて、最終結果のものだけを保管するようにしています。

さて、文具や書類のほかにも、いろいろなモノがあふれている場合は、ひとつひとつ検討していては埒があきません。とにかく、一度デスクの天板の上に全部広げてみましょう。それから、必要なものだけをデスクの中にしまっていく。新品のデスクを買って、これから新しく道具を揃えていくつもりで考えてみてください。決して、目の前にあるものを機械的にしまっていってはダメ。欲しいものにプライオリティをつけていくのです。そうやって厳しく選んでいくと、きっとあっけないくらい少ないチョイスになると思うのです。

もし、プライオリティが低くて所定の位置に入りきらないモノたちを一気に捨てるのが忍びないならば、いったんまとめて段ボール箱などに入れておいてはどうでしょう。一カ月とか一年とか期限を決めて、そのリミットまでに再び使わなければ処分する、という段階を設けるのです。僕の経験からいえば、使うことはまずありません。

それどころか、いつの間にか何が入っているのかも忘れてしまう。それは結局、いらないということと同じなのです。

それでも、机の中にモノが収まりきらないならば、上に積み上げるのではなく、シェルフなどの収納家具を別に用意すべきです。僕の場合は、デスクが収納のないテーブルタイプということもあり、席の後ろに横長のキャビネットを設置しています。

棚のフリースペースを、一時避難場所に

僕自身のデスク周りを、もう少し詳しく説明しましょう。デスクの上には、アップルの三〇インチシネマディスプレイとワイヤレスキーボード、ワイヤレスマウス、B&Oのスピーカー、電話のみ。大ぶりのデスクは、いつも広々使えるようにしています。

椅子の後ろのキャビネットは、スイスのオフィス家具の名門、USM社製。ハラーシステムというモジュラーファニチャーで、とにかくシンプルかつ使い勝手がいいのが気に入っています。サイズやパネルの組み合わせなどもフレキシブル。僕は、正面

すべてにドアパネルを付けました。つまり、表から見るとすっきりした箱形で、中身の見えないクローズドな状態にしたのです。

これは、視覚作用を考えてのこと。人の精神は、視界にすごく左右されます。多くのモノが見えていると、気が散ってしまう。いろいろなことがいっぺんにできると思っていても、結局一度にひとつのことしかできないものなのです。だから、そのひとつに集中できるように、視界をとことんすっきりさせました。

キャビネットのドアパネルを開ければ、中身は一目瞭然。ひとつのモジュールの中にさらにドロワーボックスを設置したりして、定位置を細かく設定する工夫をしています。使ったら必ず定位置に戻すというのも、先ほど述べたとおり徹底しています。

実はひとつ、例外的なフリースペースも設けています。それはいわば、〝とりあえず〟の避難場所。整理とは〝とりあえず〟との闘いと述べましたが、これはちょっと意味が違う。分類すべき場所があるのに、処置を決めかねてとっておくのではなく、その場ですぐには分類しきれないものを暫定的に避難させておくのです。仕事と密接な関わりのないサンプルや雑誌といった類が一例です。これらは、ずっと入れっぱなしにしておくわけではなく、あくまで〝とりあえず〟の処置。二〜三日から、最長で一週間くらいの間です。折を見て処分するなり、新たな定位置を決めるなどの判断をして取り出しますから、入りきらなくなることはありません。

忙しい毎日のなかで、その都度じっくり判断する時間がないことも多いですから、こうしたフリースペースがあるとすごく便利です。分類場所に困って机の上に積み上げることもないので、目の前をすっきり保っておくことができるからです。そのためにも、収納場所にはモノを詰め込みすぎずに、避難場所を設けるゆとりをもたせておくことをおすすめします。コンピュータのハードディスクにある程度の空きがあれば、処理スピードが遅くならないのと同じことだと思います。

名刺整理は、アイウエオ順がいいとは限らない

どんどん増えていくものとしては、名刺もやっかいな存在です。整理が甘いと、それこそ必要なときに見つけるのはひと苦労。アイウエオ順、業種別など、いろいろな分類が考えられますが、皆さんはどのようにファイリングしているでしょうか。

僕もいろいろ試行錯誤しましたが、最近はプロジェクトごとの分類を採用しています。なぜなら、「サムライ」の仕事は、プロジェクト単位で進行しているから。常に何十個ものプロジェクトが同時進行する状態なので、スタッフもプロジェクト別に担当をもつことにしているのです。

そこで、プロジェクトごとにファイルを作り、それぞれ各担当者がキープすることにしました。二穴のファイルに、資料とともに関係者名刺を入れたホルダーもまとめておくのです。僕と担当者がそれぞれもつのではなく、あくまで一つのプロジェクトは一つのファイルに統一します。オフィス内での定位置を決めているので、別々にもつ必要もないし、探すのに困ることもありません。

プロジェクトが終了したら、必要な名刺をピックアップして、マネージャーに渡します。そうすると、マネージャーがそれらをPCで業種別にデータベース化してくれる。こういう手順で、効率的に整理できるようになりました。

もちろん、これは「サムライ」にとってのベストな方法。業種や職種によって、分類の仕方はいろいろ考えられます。ですから、「自分の仕事にとって、どういう整理方法がベストなのか?」と、じっくり考えてみてください。いままで惰性でアイウエオ順に並べていたけれども、実は業種別に分けたほうが、はるかに便利で探しやすいかもしれない。また、よく使うものは回転式名刺ホルダーに、あまり使わないものはバインダー式名刺ファイルに、というふうに、入れ物も分類したほうが使いやすくなるかもしれません。

そうやって自分なりに分類した後は、やはり定期的なアップデートが不可欠です。名刺を捨てることに抵抗があれば、二度手間にはなりますが、デスク周りの場合と同様の処置を。たとえば、一年以上やりとりのない連絡先をまとめて、一時保管ファイルを作るなどして、段階を踏んで整理するといいでしょう。

バーチャル空間も、シンプル・イズ・ベスト

ファイルのネーミングがキモ

オフィス空間で整理すべきは、リアルなモノだけではありません。PC上のバーチャル空間の整理も、頭を悩ませるところです。

「気がつけば、デスクトップがアイコンでいっぱいになっていた」

「大事なデータがどこにあるか探せなくなってしまった」

「フォルダの階層の並びが、なんだかちぐはぐになっている」

これらはすべて、リアルな空間の場合と同じ問題です。整理を怠った結果、デスクの上に荷物が山のように積み上げられてしまった状態だといえるでしょう。

「とにかく、整理のシステムをシンプルにすること!」

バーチャル空間に関しては、このひと言に尽きます。何も特別な技術を要することではありません。単なるフォルダ管理ですから、面倒でも地道に取り組んでみてください。

データの整理の仕方でいちばん重要なのは、フォルダやファイルの名前のつけ方です。意外に思われるかもしれませんが、これを適当にあしらってしまうと、後々必ずといっていいほど苦労することになります。

たとえば、僕のPC上には、担当しているユニクロのプロジェクトに関する画像データがたくさんあります。最初のデータのファイル名は「UNIQLO_001」としました。これを「UNIQLO_01」としていたら、ファイル数が一〇〇を超えた場合に困ります。表示順が変わるなどのトラブルもあり得ます。ファイルは増えていくものという前提のもと、なるべく汎用性の高いネーミングにすることがポイントです。

さらに気をつけたいのが、表記統一。仮に「プレゼン」という名前のファイルを作るなら、英語にするのか、カタカナにするのか。半角か全角か。自分でルールを決めておけば、検索がすごく楽になります。並列フォルダが出てきたら、その都度見直すといいでしょう。たとえば、ドコモの仕事に関して、702シリーズに続いてキッズケータイのフォルダを作る場合、「702iD_DoCoMo」と「ドコモ_kids」ではバラバラです。文字の種類や書き方の順番を見直して、きちっと統一したいもの。「DoCoMo_702iD」と「DoCoMo_kids」とすればキーワードが統一され、検索がしやすくなります。最近では、フォルダの名前をいっぺんに変えることができるリネームソフトも充実していますから、それを利用するのもひとつの手です。

この過程は、試行錯誤の連続です。僕も何年もかかってアップデートし続けてきました。「失敗した！」と思うたびに修正です。でも、だんだん使いやすく進化していく様が実感できるのは面白いものです。手痛い目に遭っても教訓になったり、リアルな空間の整理術にも応用できたりしますから、決して無駄にはなりません。

フォルダに関しては、数にも配慮したいもの。ひとつの階層に五〜八個くらい、多くても一〇個までにとどめたほうがいいでしょう。二桁を超えると、キャパシティが飽和しがちになります。以前一緒に仕事をしたコンサルタントの方が、こうおっしゃっていました。「組織において、きちんとマネージできる部下の数というのは、三〜八人くらい。それを超えると目が行き届かなくなってしまう」と。それと同じことだと思うのです。

ＰＣ上にもフリースペースを作る

データ類に加えて、メールの整理も気が抜けません。僕はメールに関しても、プロジェクトごとのフォルダを作って分類していますが、仕事のスタイルに合わせて各々で工夫すればいいと思います。大切なのは、受信メールをチェックしたら、その場で処理するということ。僕は、その日の受信ボックスは必ずゼロにしてから帰ります。

これも〝とりあえず〟との闘い。放っておくと膨大な数になりますから、面倒でもその場で対処するしかない。分類する、捨てる、返信する。よっぽど熟考が必要なものは例外ですが、たいがい瞬時に判断できるものです。この細かい処理の積み重ねが、整理の経験値にもなるのです。

ここまで、ＰＣ上のバーチャル空間とリアルな空間を整理する際との共通項をいくつか挙げましたが、同様のポイントをもうひとつ。それは、ＰＣ上にも避難場所となるフリースペースを作る、ということです。分類しきれないファイルをそこに集めておくのです。僕のPC上では、「samurai utility」というフォルダがそれにあたります。中に入っているのは、スタッフリストや地図のデータといった、デザインワーク以外のデータ。こんなふうに、分類しきれないものを集めてひとつの分類にすると、デスクトップは格段にすっきりするはずです。

こうしたバーチャル空間の整理に関して、僕はスタッフにも耳が痛くなるほど徹底させています。「毎週月曜日の朝は、Macの中のデータを整理すること。午前中いっぱいかかってもいいから、納得いくまですっきりさせるように」と。

これも、空間の場合と同じ理屈です。忙しいから整理は後回し、ではなく、仕事の効率を上げるために整理をするのです。週はじめにきちんと片づいた状態になれば、週末までの一週間の進行が、断然スムーズになりますから。システムのメンテナンスをきっちりすれば、アプリケーションがさくさく動くのです。考え方を柔軟に切り替えて、ぜひ定期的に行ってみてください。

この〝定期的〟というのが、なかなか腰が重くて面倒という人も多いでしょう。ですから、けじめの時期というのを何かと設けたらいいと思います。PCだけではなく、カバンや名刺、デスク周りなど、アップデートすべきものはたくさんありますから、

● 汎用性の高いファイルのネーミング

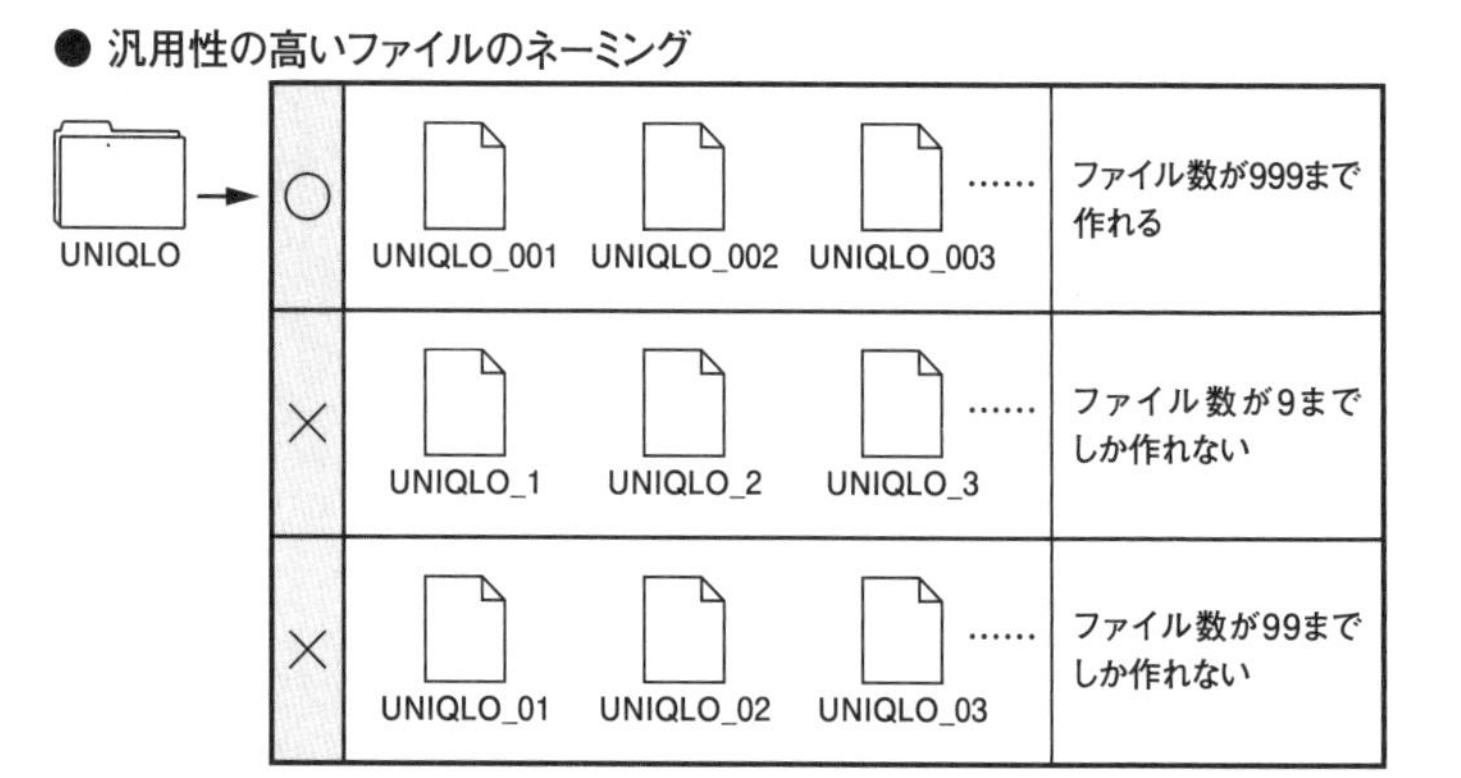

● 統一された表記で仕事の効率をアップさせる

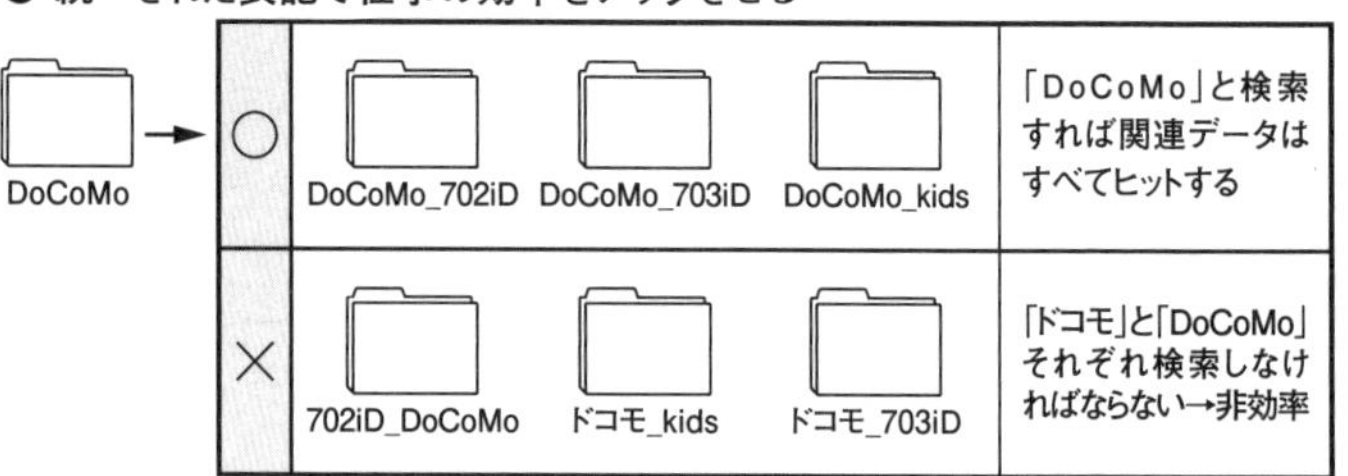

● PC上にもフリースペースを作る

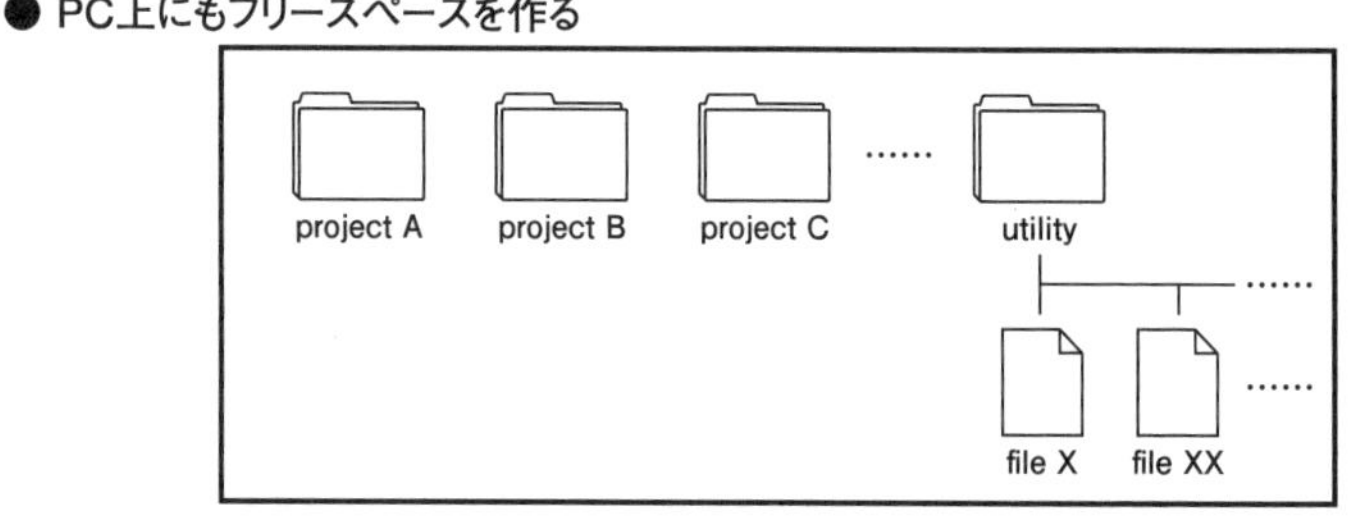

年末年始の大掃除の時期にすべてを見直そうと思うと、面倒くさくなってしまうのは当然です。たとえば、新年度が始まる四月一日、ゴールデンウィーク、夏休み、衣替えの時期……。さらに、誕生日や結婚記念日などのパーソナルな記念日も、気持ちを切り替えるきっかけになるでしょう。人は何か理由がないとアクションを起こしにくいですから、このようにリフレッシュするきっかけになる日をあらかじめ決めておくと、スムーズに取り組みやすくなるはずです。

フレームを駆使して、オフィス環境を快適に

バーチャル空間を転用した、オフィス空間整理術

最後に、これまでの説明の集大成として、僕のオフィス空間の整理法を紹介します。前述したのはカバンやデスク周りなどのパーソナルな空間ですが、オフィス全体の共有スペースはどうしているのかといえば……。

たとえるなら、リアルコンピュータサーバ。モノはすべて、フォルダ形式で整理しています。どういうことかというと、ワークスペースの一角を大きなシェルフを並べたストックルームにしていて、シェルフには同じ種類のボックスをずらり並べているのです。その中に、プロジェクトごとにモノを整理して入れています。ハードディスク上にフォルダが並んでいるがごとく、リアルな空間のドライブ（シェルフ）にフォルダ（ボックス）が並んでいる様は壮観です。

これは、まさにインターネットから着想を得た整理法。ネット上では、全く違うタ

イプの情報が、すべて同じフォーマットに統一されています。テキストも画像も音楽も、デジタル化されることで同列の扱いとなり、すっきり閲覧することができる。「これはすごいことだ！」と思い当たりました。そこで、ネット上の〝デジタル化〟という規格のように、〝同じ種類のボックス化〟という統一規格を作れば、非常にわかりやすい整理ができるのではないかと考えたのです。

ですから、それぞれのボックスには、実にさまざまなタイプのモノが入っています。

・完成形の仕事
・現在進行形の仕事
・ＥＴＣ
・自分の作品集
・画材
・避難用品

たとえば、こんな感じで分類されています。「完成形の仕事」というのは、プロジェクトの成果物。「現在進行形の仕事」は、進行中のプロジェクトに関する諸々のアイテムです。サンプルやたたき台など、整理しきれないものもまとめて入れていますが、プロジェクトが終了したら整理して、保存するべきものは「完成形」に入れます。それ以前に、いっぱいになったらアップデートするのは前述の場合と同様です。

「完成形」と「進行形」はドライブ（シェルフ）を分けて、そのなかでもプロジェクトごとにフォルダ（ボックス）をまとめて並べ、探しやすいように整列しています。このあたりもPCと同じ感覚。プロジェクトとして分類しにくいものを入れておくのが、「ETC」のボックスです。

年月とともにプロジェクトはどんどん増えていきますから、棚に入り切らなくなったら、ビルの別の階や別の場所にある倉庫へと随時移動します。たとえば、数年前の成果物は、ふだんは使わないけれども捨てるわけにはいきません。こうやって、時間とともにプライオリティをつけ直して、すぐ使うものだけを手元に置いておくようにしているのです。

フレームを決めれば、全体像が把握できる

このシステムを思い立った背景には、〝オフィスにおける情報の共有化〟という視点があります。そもそも、「同じモノをスタッフ全員で共有できるような仕組みを作りたい」と考えたのがきっかけなのです。あるプロジェクトを三人で担当することになった場合、三人それぞれが資料をもつより、ひとつにして定位置を決めてしまったほうが、量も三分の一になるし、何があるか把握しやすくなる。結果として、デスク周りの整理の場合と同様、仕事の効率化とリスク回避に確実につながると思いました。

実際、システム構築後は、驚くほど空間がすっきりし、かつ誰もが目的のモノを探しやすくなりました。〝情報の共有化〟の効果は絶大です。ちなみに、現在使用しているボックスは、通販で手に入るリーズナブルな白い段ボール箱。「UNIQLO Soho N.Y. Shopping Bag」など、箱のタイトルは直接マジックで書いています。このタイトルを見れば、スタッフ一同、何が入っているか一目瞭然。紙箱なので、傷んだら差し替えるという前提で、わざわざ印字する手間はかけません。本来ならば、仕事の資

料と作品集と避難用具なんて、全然種類が違う。それが、フォーマットを統一することでわかりやすく分類され、見た目もすっきり美しくなったのです。

シェルフの中にボックスがぴったり収まっていることも、見た目が整然としている理由のひとつ。ひとつのモジュールにボックスが横三×縦五、計一五個が余分な隙間なしに収まっているのです。というのも、ボックスのサイズに合わせてシェルフをデザインしたから。コンピュータサーバの整然としたイメージをきっちり実現したかったので、この点にはこだわりました。

少し特殊な話になりますが、ほかにもいくつかオリジナルデザインしたものがあります。ポスター用のB倍サイズの用紙を収める筒や、プレゼンで使う特殊紙を収めるボックスなどです。紙はデリケートなので、管理が大変なことが特注の理由。適当に扱っていると、端のほうがボロボロに傷んでしまうのです。

何でも自分でデザインするというわけにはいかないと思いますが、考え方として強調したいのはこういうことです。

「空間の整理は、フレームの形状を決めて入れ子構造にするとコントロールしやすい」

世の中のモノは、フレームが決まっていないから、扱いにくいと思うのです。大きさ、形、固さ……すべてバラバラだから、整理がしにくい。それを、ボックスというフレームを設定して、フォルダのように入れ子にしてしまえば、見た目は驚くほどすっきりします。ボックスの中は、多少粗雑になっていてもかまいません。そこまで神経を使わなくても、おおまかな分類ができていれば全体像が把握できます。

僕のオフィスも、モノが一見なさそうでいて、実はかなりの量があります。整理して減らした後でも、相当なボリュームがあるのです。ですが、目の前から見えなくすることが、作業環境を快適にしている効果は計り知れません。ボックスを均一化することで、中身だけでなくボックスの存在感も消えてしまいますから、仕事にぐっと集中できる。視覚的な効果が、精神的な効果をもたらしているのです。さらに、目の前からモノがなくなると、本当に大事なモノが何かも実感できると思います。ファイルボックスやドロワーボックスなど、気軽に手に入るツールはいろいろあります。フレームワークを駆使して、すっきりしたオフィス環境をぜひ実現してください。

大切なものの見極めを、身体で覚える

さまざまな例を挙げてきましたが、最後に、これまで強調してきた〝空間〟の整理の要点をまとめてみましょう。

1. 前提として〝すっきりした空間を作ることで仕事の効率が上がり、リスク回避になる〟というポジティブな目標をもつこと。

2. 整理とは、自分のなかの不安や〝とりあえず〟との闘い。それに打ち勝つためには、〝捨てる〟勇気が必要。捨てるモノを決めるためには、プライオリティをつけることが不可欠。厳しく自問自答して、下位のものは時間軸で区切って処分するといい。

3. せっかく整理したものを再び増やさないためにも、定期的な見直し（アップデート）が欠かせない。メールなど、放っておくだけで増えていくものは、その場で処理することが大切。

4. 目の前の作業環境をすっきりさせておくために、モノは常に定位置に置き、使ったらすぐ戻すこと。すぐに整理できないモノの避難場所となる、フリースペースを設けておくのも便利。

5. わかりやすく分類するために、フレームを決めてフォーマットを統一する。こうすれば、さまざまな種類のものがすっきり片づくうえに、シンプルなシステムなので把握もしやすくなる。

以上が、おおまかなポイントです。振り返ってみると改めて、2章で触れたように、大切なものを見極めていくプロセスがリアルに体感できる実践の場だと思います。ここでプライオリティをつけることの経験を積んでおけば、次の〝情報〟の整理も、きっとスムーズに頭に入ってくることでしょう。

4章　レベル2「情報」の整理術——独自の視点を導入する

問題の本質に迫るため、情報に視点を持ち込む

皆さんは、今朝起きてからいままでに、どんな広告を見たか覚えていますか。

「広告はほとんどなかったと思うけど……」。いやいや、そんなことはありません。現在の時間が、朝会社に着いたばかりだったとしても、短い時間のうちにものすごい量の広告に触れているはずです。テレビＣＭで、新聞で、電車の中で、街中で……。何十、何百という数が、目の前を通り過ぎたことでしょう。

そのなかで、ぱっと思い出せるものはありますか。そう言われてみると、ほとんどといっていいくらい、記憶に残っていないのではないでしょうか。タレントの顔は覚えていても、何の広告だったかは覚えていなかったり、商品は覚えていても、何がアピールされていたのかは不明だったり、といった具合に。僕がクライアントにこの質問をすると、やはり皆さんハッとして答えに詰まってしまいます。

「広告なんて誰も見ていない」

これは、僕が会社に入って間もない頃に実感したことです。会議で難しい用語が飛び交い、商品のアピールポイントや表現の話は白熱しているのですが、もっと根本的なことにはなかなか触れられずにいる。目の前の仕事に深く入り込んでしまうと、「果たして、広告とは関心をもってもらえるものなのか」という、ぐっと引いた視線で見ることを忘れがちになってしまうのです。こうした大前提が見えないままに作られている広告が、非常に多いのではないでしょうか。

広告を発信する側としては、伝えたいことはたくさんあって、一般の人たちも当然注目してくれるものと思い込みがちです。ところが、受け手側というのは、発信者側のそんな思いなど、ほとんど意に介していません。なぜなら、日常生活のなかでは、自分の身の回りの出来事や問題で精一杯になっているからです。人は自分の心にバリアを張っていて、無意識のうちに外部情報を遮断しています。ですから、伝えたい情報を相当きちんと整理したうえで、筋道を立てて戦略的に伝えることを考えないと、受け手の心のバリアを破って入り込むことなどできないのです。

「振り向かせるためには、刺激的なものにすればいいいんじゃないの？」

こういう意見もあるでしょう。でも、単に刺激的なだけでは、一瞬目を引くだけで終わってしまう。心の奥までは浸透していかないのです。たとえるなら、子どもが隠れていた物陰から出てきて、「わっ!」と驚かせるようなもの。驚かされた方は、怒ったり相手にしなかったりするかもしれません。相手の理解を得たり興味を引いたりしないと、本当に心を捉えたことにはならないのです。だから、まず何が言いたいのかという主旨をはっきりさせ、そのうえでどんなトーンで伝えるのかという工夫をすることが大切です。

これは、広告に限ったことではありません。伝えるということは、本当に難しい。企画書を作ったり、プレゼンやスピーチをしたりといったビジネスシーンでも、情報をどう整理するかによって、相手に伝わる精度は格段に違ってきます。その際にいちばん大切なのが、自分なりの視点を持ち込んできっちり筋を通すこと。大切な情報をしっかり見極め、情報同士の因果関係をクリアにしていくことで、進むべき道が見えてくるのです。つまり、情報の整理とは、視点を導入して問題の本質に迫ることで、真の問題解決を行うためのものなのです。

● 「情報」の整理術で身につける視点の導入

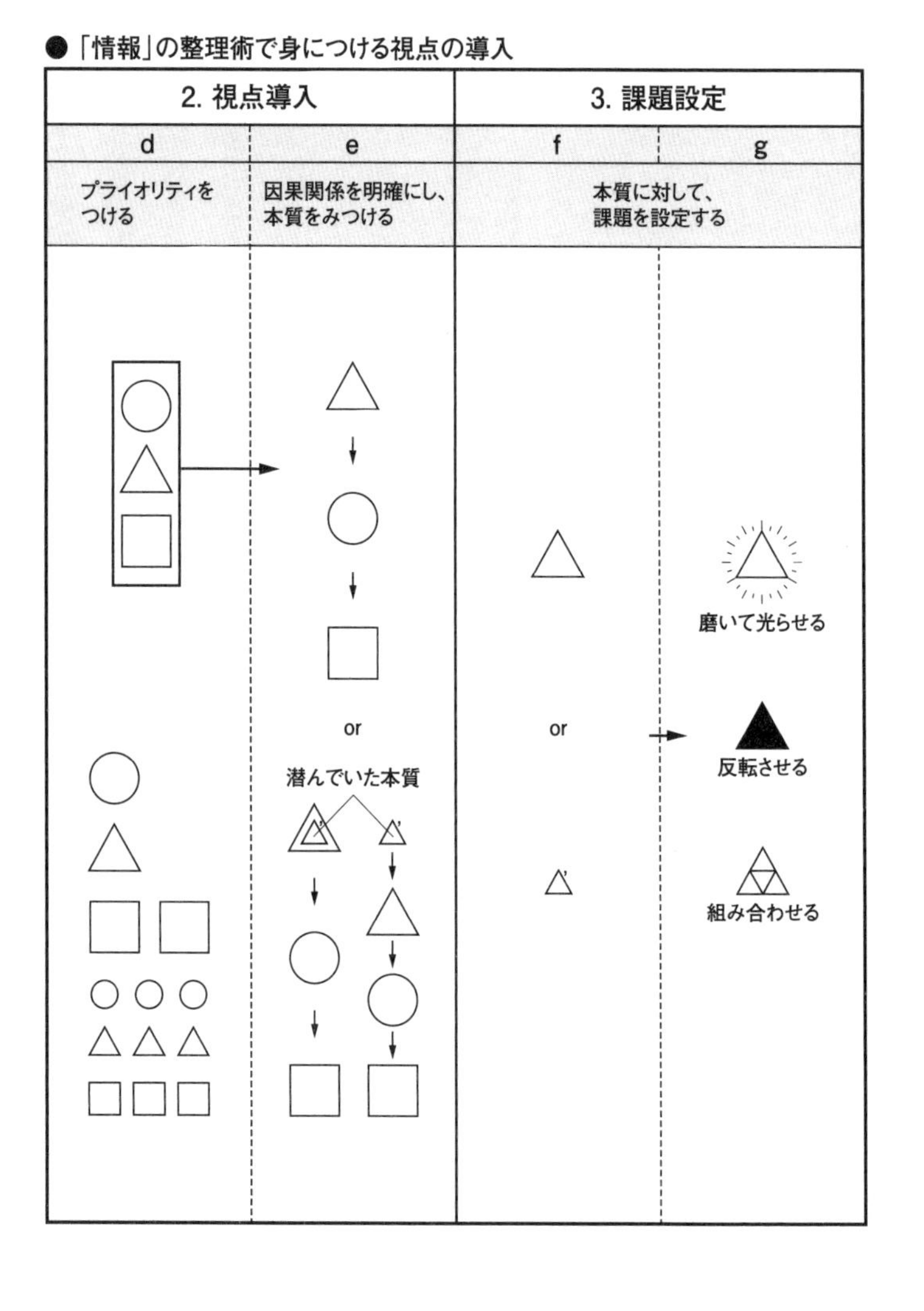

テキストや画像などの〝情報〟は、書類や文房具といった〝モノ〟と比べると、実体という感覚が薄いぶん、取り扱いにくい印象もあるでしょう。ですが、〝空間〟の整理術で培った、状況を把握するノウハウのベースがあれば、きっと違和感なく取り組んでもらえると思います。

2章で述べたように、〝情報〟の整理術では、〝視点を導入する〟ためのテクニックを紹介します。整理術のチャートで示すと、117ページのようになります。

視点導入の最終目標は、ビジョンを導き出すこと

相手の心の中に、イメージを建築する

大切な情報を見極め、目指すべきものに向かって情報同士を関連づけていくという作業を、僕は次のように捉えています。

僕は、企業のブランディングに携わることが多いのですが、大切なのは〝相手の心の中に、ブランドイメージを建築する〟ことだと考えています。つまり、ブランド名を聞いただけで、立体的かつ複合的なイメージ像を浮かび上がらせるということ。たとえば、ルイ・ヴィトン。モノグラム、旅、マーク・ジェイコブス、高級感など、いくつもの要素が絡み合って、ひとつの深みのあるイメージが構築されています。〝伝統〟と〝革新〟など、相反するものもバランスよく両立して、憧れを掻き立てる奥深いブランドとなっているのです。

具体的に、建築に置き換えてみましょう。建築とは、おおまかにいえば、柱や梁な

どの構造体と、壁紙やタイル、床材などの内外装とで成り立っています。この場合、構造体とは材料（＝情報）を整理して組み上げた、コンセプト的な部分に当たります。内外装とは、それをかたちにするためのアーティスティックな表現（＝デザイン）。いざ建物を造る場合、内外装を施す以前に構造がしっかりしていないと、明確なイメージは生み出せず、相手にモヤモヤした印象しか残せなくなってしまうのです。

インパクトの薄い広告というのは、建築材料を並べただけで、組み立てられていないことがほとんどです。もしくは、構造が脆弱で、いまにも倒れそうなものもあります。これは、組み立て方だけが悪いのかといえば、そうとも限りません。

クライアントとの問診、つまり現状をヒアリングして情報収集する時点で、柱や梁のような重要な構造物ではなく、細かいパーツしか届かない場合もあります。さらに大変なことに、パーツすらこないというケースもある。これは、「家は建てたいがどうしていいかわからない」と、クライアントの頭が混乱しきっている状態のことです。こうした場合は、じっくり問診しなおして、材料を少しずつ整えていかなくてはなりません。

そうかと思えば、はじめから基本的な構造をちゃんと組み立ててくるクライアントもいます。ある程度自分でイメージを築くことができる、はっきりした意志の力があるからです。こういうときは、無駄なくスムーズに内外装まで進めていけるのですが、なかなかあることではありません。

ですから、通常は、どさっと並列で届いた情報を、吟味して骨組みにしていくことが最大の関門となります。では、どうやって組み立てていけばいいのか。

理想形となる〝ビジョン〟を見つける

しっかりとした家を建てるためにいちばん大切なもの。それは、〝ビジョン〟です。ビジョンとは、クライアントが真に到達したいと望んでいること。それはまた、クライアントが潜在的に秘めているものでもあり、〝あるべき姿〟といってもいい。つまり、最大パフォーマンスが発揮された理想的な状態のことです。現状の問題を取り除けば、到達し得るゴールなのです。天候や気温、路面のコンディション、ドライバーの技量など、さまざまな条件が揃ってはじめて発揮できる、スーパーカーの最高速度みたいなもの。ビジョンとは目指すべき課題をクリアした姿ともいえますから、2章で述べた、〝登るべき山〟のてっぺんでもあります。

この〝あるべき姿〟には、クライアント本来の意志だけでなく、社会からの要請が加わる場合もあります。たとえば、環境面への配慮や社会貢献的な姿勢など。会社の規模が大きくなるにつれ、こうした社会的責任は大きく問われます。

こうした〝あるべき姿〟に到達するためには、不可能ではないけれどもかなりの努力を要します。ブランディングの一環として、社会に対してはっきりとビジョンを提示することで、クライアントもそれに近づくべく切磋琢磨していければ、ひとつの理想形といえるでしょう。この目指すべきビジョンを見つけ出すひとつの方法として、整理術があるのです。

視点が決まれば、ビジョンが見えてくる

ビジョンを探るために不可欠なのが、〝視点〟を持ち込むことです。情報を整理していく際に、どういう視点で捉えるかによって、結果は全く違ってきます。たとえば、同じ容積の建物でも、視点次第で平屋にも複数階のビルにもなる。水平方向に幅を広

げるか、垂直方向に高さを増すかによって、形も印象も全く違ってくるのです。ですから、定めた視点によって、クライアントの〝あるべき姿〟を正確に導き出し、最終的に最もインパクトのある伝え方ができれば最高です。

〝空間〟の整理の章で、プライオリティをつけることで本当に大事なモノが見つかると述べましたが、このプライオリティも、視点がないと決まりません。空間の場合は、〝どのくらいの頻度で使うか〟〝いますぐ必要か〟など、時間軸の視点で設定しました。情報の場合は、身体感覚で判断が下しにくいぶん、さらに意識的に視点をもつことが求められます。これがなかなか見つけにくいから、情報の整理は難しいのです。

視点を持ち込むという感覚は、インターネットの検索エンジンを思い浮かべるとわかりやすいかもしれません。莫大な量のデータベースから、欲しい情報を取り出すためには、キーワードを入力する必要がある。このキーワードが、ひとつの視点なのです。キーワードの選び方や複数入れる場合の順番のつけ方など、工夫次第で欲しい情報にアクセスしやすくなります。いわゆる〝グーグルの達人〟と呼ばれる人たちは、〝視点の持ち込み方の達人〟ともいえるでしょう。

「iTunes」もいい例です。膨大な量の曲が揃っている「iTunes Music Store」から、アーティスト、アルバム、ジャンルといった違う視点によって、着実にソートできますから。視点を切り替えるたびに、出てくる曲順も変わるのです。

このように、インターネットは、視点を持ち込む感覚を養うのにいちばん身近なツールです。視点を見つけ、持ち込む感覚を含めた整理術全般のノウハウを、僕もネットからずいぶん学びました。

ただ、ビジョンにつながる鋭い視点を見つけるには、大事なものを見つけ出すトレーニングをふだんから続けていくしかないと思います。そのためのヒントとなる考え方を、いくつか紹介しましょう。

自分なりの視点を見つけるには

本質を探るには、引いて見つめることが大切

この章の冒頭で、「広告なんて誰も見ていない」と感じた話をしました。実はここに、視点を見つけるヒントが潜んでいます。

広告業界のなかにすっぽり入ってしまうと、視点がディテールのほうへ狭まってしまって、自分たちのことが客観的に見えなくなってしまう。そして、「広告は注目されて当然という考え方は、間違っているんじゃないのか?」と、引いて見つめ直すことを忘れてしまいがちになる――この状況は、「本質的な問題のありかに気づくためには、客観的な視点をもつことが重要だ」と教えているのです。

本質を探るということは、一見、物事の奥深くに入り込んでいくようなイメージがあるでしょう。でも実は、どんどん引いて離れていくことだと思うのです。客観的に見つめてこそ、いままで気づかなかった真実や大事なエッセンスを発見することがで

きる。

脳科学者の茂木健一郎さんの著書『「脳」整理法』（ちくま新書）に、「ディタッチメント」という言葉が出てきます。これは、あたかも〝神の視点〟に立つがごとく、ものすごく俯瞰して物事を見つめるということ。神のように達観した視点をもつことが、科学者の基本姿勢として非常に大切だと述べられていて、頷かされました。同じことが、〝情報〟の整理の場合にもいえると思ったからです。

全く違うジャンルの例をもうひとつ。美術界にコンテンポラリーアートが出現したときの状況も、同様だと感じています。長い間、美術はフレームの中だけの表現を考えていればよかった。キャンバスにどういう絵を描くかを競ってきたのです。ところが、コンセプチュアルアートの出現が、それまでの概念を何もかも覆しました。「フレームの外側も含めて作品だと思えば、中は真っ白でもいいんじゃない？」という考え方です。こうして、構成要素を極限まで絞ったミニマルアートや、モノや装置などを配した空間全体を作品として体感させるインスタレーションという表現が、次々と生まれていきました。

フレームの外側、つまり置かれている状況も含めて作品だという新たなアプローチ。それは、視点をぐっと引いていくことで生まれたものです。従来のアートを離れて見つめ直すことで、結果的にアートの本質へと迫っていったのです。

僕の仕事でも、いったん引いて考えたからこそ、視点が見つかったケースはたくさんあります。「極生」の場合もそうでした。多くの情報のなかで混乱した後、「そもそも発泡酒とは何なのか?」と客観的に考えてみたからこそ、発泡酒独自のポジションを打ち出すという視点が見つかったのです。

スランプに陥ったとき、思考回路が堂々巡りになってしまったとき、この〝離れて見る〟というアプローチが気づかせてくれるものは大きいはずです。

思い込みを捨てることから、視野が広がる

ビジョンにつながる確固たる視点を見つけるためには、正面からだけでなく、いろいろな角度から見てみることも大切です。これも、言うは易く、行うは難し。

〝自分の思い込みをまず捨てる〟ということから始めてみてください。個人のエゴ

が入っていては、プロジェクト本来のビジョンから少しずつ、ずれていってしまいます。相手からもらった情報が足りないからといって、自分勝手な憶測を盛り込んでしまうと、ちぐはぐでまとまりのないイメージになってしまう。相手の立場に立ち、相手がもっている材料のなかから、魅力を最大限に引き出すという姿勢で臨まなければ、クライアントの課題を解決することはできません。

とはいえ、いきなり自分を捨てて相手の立場に立つということは、なかなかできることではありません。ビジネスを介したいろいろなしがらみやパワーバランスなどがありますから、どうしても雑念が入りがちになります。ですから、まずは完全な第三者の立場になってみてはどうでしょう。親戚のおばさんとか、学生時代の同級生とか、該当の仕事とは全く関係のない第三者になったつもりで、クライアントのことを考えてみるのです。引いた立場から状況を客観視すると、思いのほか冷静になれる。結果として、相手の立場にスムーズに立てるようになれると思うのです。

また、思い込みを捨てるには、あえて極論を考えてみるというのも手です。無謀なほど極端な気持ちになってみないと、自分を捨てることは難しいものです。ですから

「そもそもこのプロジェクトは必要ないのではないか?」くらいの思い切った気持ちになれれば、ふっきれて視界が広がってくると思います。

極生の場合も、「そもそも、通常の広告キャンペーンをやめてしまってもいいのではないか?」と考えてみました。その結果、テレビCMはいっさい打たずに、パッケージデザインを軸として、新聞やビルボードなどのグラフィック媒体のみの展開となり、かえって新鮮な印象を与えることができたのです。

こうして自分の思い込みを捨てたうえで、次は情報を多面的に見つめてみる。視点の向きを変えてみると、思わぬ発見があるものです。

視点の転換で導き出した、明治学院大学のビジョン

見方を変えれば、マイナスもプラスになる

僕が三年前から手がけている、明治学院大学のブランディング・プロジェクトを例に挙げましょう。企業ではなく、教育機関のアートディレクションというのは、非常に新鮮な経験でした。これから少子化が進み、学校が余ってしまう将来を考えると、教育機関も社会に対し、積極的にメッセージを発信する必要がある時代なのだと思います。

明治学院大学の大塩武学長は、そうした危機意識を抱いている方でした。早稲田や慶應などと比べ、パブリックイメージが薄く、魅力をアピールできていない現状をなんとかしたい。偏差値以上に、理念や個性で選ばれるようにならなければ、これからの大学は生き残れない、と。そこで、大学の創設者であるヘボン博士の生涯の理念だった“Do for Others”という言葉が、改めて掘り起こされました。学長自ら、こ

うしたコンセプトメイキングを行い、教育理念の根本に掲げたのです。クライアントが建物の骨格となる構造の基礎を築いてくれた、稀有な例でした。

その基礎をさらにしっかりしたものにし、あるべき姿を見つけ出すために、僕の情報収集が始まりました。学長へのインタビューはもちろん、キャンパスで学生たちにもどんどんヒアリングを行いました。校風のイメージをダイレクトに掴みたかったのです。忌憚のない意見を聞きたかったので、「明学のいいところも悪いところも正直に言ってみて」と、フランクに尋ねました。

その結果、返ってきたのはこんな答えでした。

悪いと思うところ

- **地味**
- **インパクトに欠ける**
- **押しが弱い**
- **存在感がない**

いいと思うところ
・控えめ
・品がある
・奥ゆかしい
・流行に流されない

だいたい皆、このような意見で共通していました。ぱっと見る限り、ここから強い視点を見つけ出すのは難しそうです。しかし、じっくりプラスとマイナスの要素を見比べているうちに、はたと気づきました。これらのイメージはそれぞれ、同じことを別の角度から言っているのではないか、と。たとえば、〝地味〟ということは、よくいえば〝控えめ〟ということ。〝押しが弱い〟というのは、裏を返せば〝奥ゆかしい〟ともいえる。〝存在感がない〟というのは、〝流行に飛びついて目立とうとするのではなく、流されない強さがある〟ということができます。

このようにマイナスからプラスへ視点を転換することで、やるべきことが、がぜんクリアに浮かび上がってきました。現時点では世の中にマイナスのほうが多く出てしまっているけれど、これをそのままプラスに転換して、うまくアピールすればいい。つまり、〝地味で存在感がない〟のではなく、〝控えめだけど芯が強い〟という校風を、好ましいかたちではっきり打ち出すのです。この打ち出しなら、教育理念としてよみがえらせた〝Do for Others〟とも、しっくり溶け合います。

ビジョンを凝縮して、シンボルマークで表現

こうして導き出したのが、〝控えめながら、ボランティア精神に富んだ芯の強さがある〟というビジョン。それをひと目で伝えるために、シンボルマークを作りました。ピュアな黄色のバックに、MとGのイニシャルを組み合わせたものです。

スクールカラーに黄色を選んだのは、赤や青は主張が強すぎる色だから。黄色は明るい色なので、白地の上におくとコントラストがつかずあまり目立ちませんが、単色としてはインパクトがある色。控えめだけどアイデンティティはしっかりしているという校風を表すのに、ぴったりだと思いました。ロゴに使用した書体は、知的でオーセンティックな品のよさがありながら、モダンな雰囲気も備えています。伝統のボラ

ンティア精神に、現代的な息吹も吹き込まれているイメージを表現しました。
「以前からこのマークだったような気がします」
プレゼンの際にこう言われたのは、すごくうれしいことでした。すっと馴染んでもらえたのも、自分のエゴという視点を入れずに、対象のなかからビジョンを引き出せたからだと思います。

建築にたとえた場合、シンボルマークのデザインやスクールカラーの選定に関しては、ビジョンを設定して構造を組み立てた後の、内外装を施す段階です。情報を整理して組み立てただけでは、構造がむきだしですから快適な環境にはなりません。整理した後には、内外装できっちり仕上げる。新しい家に快適さや愛着を抱いてもらえるように、最も効果的に見えるような表現を施してあげるべきなのです。

表現とは、たとえればスープのようなものでもあります。たくさんの情報のなかから魅力を抽出した後に、旨味（魅力）のエキスを凝縮するような感じ。「控えめで、芯の強さがあって、ボランティア精神も備えていて……」。文で説明すると長くなって伝わりにくいところを、シンボルマークにギュッと凝縮させたのです。

明治学院大学

MEIJI GAKUIN UNIVERSITY
1-2-37 Shirokanedai, Minato-ku, Tokyo 108-8636, JAPAN
1518 Kamikurata-cho, Totsuka-ku, Yokohama 244-8539, JAPAN
http://www.meijigakuin.ac.jp

こうしてうまく結実させることができたのも、誇るべきビジョンが見つかったから。視点を転換するという柔軟なアプローチを行ったからこそ、このビジョンを見つけることができたのです。

アートディレクションという仕事は、決して虚飾のイメージを作り上げるわけではなく、対象の本質からアイデアを導き出している——明治学院大学の事例を通じて、この事実をよりわかりやすく感じていただけたかと思います。

暗号解読のように組み立てた、国立新美術館のシンボル

あいまいな状況から、強い視点は見つけにくい

締めくくりとして、二〇〇六年に手がけた国立新美術館のプロジェクトを紹介しましょう。〝情報〟の整理術がふんだんに活用されている事例です。

二〇〇七年一月にオープンした国立新美術館は、日本で五つ目の国立美術館です。意外と少ないものですね。東京国立近代美術館、京都国立近代美術館、国立西洋美術館、国立国際美術館に続き、なんと三〇年ぶりに新設された国立の美術館なのです。この新美術館がオープンするにあたって、シンボルマークの作成を指名コンペ形式で依頼されました。

情報を確固たる視点のもとに整理して、ビジョンを見つけ出し、構造を組み立ててからデザインする……。プロセスはいつものとおりなのですが、トントン拍子に進むというわけにはいきませんでした。肝心の視点を見つけるのが、すごく難しかったのです。

マークの作成に際して、集まった情報は次のようなものでした。

- 日本で五つ目、三〇年ぶりに新設される国立美術館である
- 一万四〇〇〇平方メートルという、国内でも最大級の展示スペースをもつ
- コレクションをもたない美術館である
- 広大な展示スペースを生かして、公募展や自主企画展、新聞社やほかの美術館との共催展を行う
- 美術に関する資料を多彩に収集・公開し、講演会やワークショップを積極的に開催するなどして、アートセンターとしての役割を果たす
- 建物は、波打つようなファサードが個性的な、黒川紀章さんの設計である
- ロケーションは東京の中心地、六本木の新興エリアであるミッドタウン界隈にある

正直、頭を抱えた部分もありました。なぜなら、この情報からは問題点も浮かび上がってきたからです。

まず、美術館の性質が特殊です。所蔵するコレクションを見せていくことが従来の美術館の常識なのに、コレクションをもたずに、アートセンターとしての役割も果たすというのは、一般的にわかりにくい。加えて、〝国立新美術館〟という名称が、新しいという事実だけを伝えているようで、なんだか仮称のような感じです。さらに、活動内容が豊富ではありますが、結局どういう美術館かと尋ねられると、突出した特徴に欠ける。こうしたあいまいな状況から強い視点を見つけ出すのは、相当大変だと思いました。

クライアント側も、同様の危惧を抱いていたようです。「新しい試みだけに理解してもらいにくいだろうから、世の中に対して強いメッセージを放ってほしい」と言われました。また、シンボルマークの条件として、国立新美術館（National Art Center, Tokyo）のイニシャルを用いた「NACT」というモチーフで作ってほしいというのも要望でした。

〝新しい〟という視点で、すべてをプラスに転化

さて、どうしようか。資料を何度読んでも迷いがありました。ふだんは情報を整理

して、課題を発見してから、かたちにしていくのですが、今回は珍しく手を動かしながら考えてみました。与えられた「ＮＡＣＴ」のモチーフを、さまざまなパターンでデザインしていったのです。でも、「これだ！」というものができない。おそらく、極生などの場合のように、競合する対象があるわけでもなく、取り巻く状況が切迫していなかったからでしょう。だから、問題意識が見つけにくかったのです。シンボルマークというのは、社会とコミュニケートするためのアイコンとして大切な存在です。しかし、社会に向けて何をアピールすべきかが明確になっていない時点で格好いいカタチを作ったとしても、何を基準に採用されるのかがわからない。こうした状況のなかで、はっきりした視点もないままにたくさんの「ＮＡＣＴ」マークを作ってみても、決め手に欠けるのは当然といえば当然です。

そもそも、イニシャルというのは、それ以上でもそれ以下でもありません。ニューヨーク近代美術館（Museum Of Modern Art）の場合は、イニシャルをつなげた略称「ＭＯＭＡ」を新しい単語として成り立たせ、強い記号を発することに成功しています。しかし最近では、特に意味もなくイニシャルをつなげただけの略称をもつ施設が氾濫し、それぞれの略称がほとんど浸透していません。今回の場合も、イニシャルをマークにすることは決して間違いとはいえないのですが、それがベストかと自問すると、どうも違う気がする。美術館の本質を指していないのでは、と心に引っかかっていました。

それなら、いったん「NACT」から離れて、もう一度考え直してみよう。再び資料と向き合いましたが、やはりなかなかピンときません。とはいえ、大事なモノは、対象のなかに必ず潜んでいるはずです。パッと見えてこないなら、整理しながら視点を見つけていくしかありません。

まず、情報を正面からだけでなく、多面的な視点で見つめ直してみました。たとえば、「コレクションをもたない」というスペックだけで思考が止まってしまえば、それ以上の展開は望めません。コレクションをもたないということは、どういうことなのか、と考えてみると、従来の概念なら美術館とはいえません。常識の枠から逸脱しています。普通ならマイナスの要素ですが、プラスに転化するにはどうしたらいいのだろう。

ここまで考えたところで、別の情報に目を移してみました。「国内最大級の展示スペース」とはどういうことか。やはり、いままでにないことであり、規模が桁外れということで逸脱しています。さらに、活動内容に目を移すと、「公募展あり、企画展あり、共催展あり、アートセンター的活動もあり」。従来の国立美術館では考えられないほど、広範囲の内容です。

これらを考え合わせてみると、ふっと〝新しい〟というキーワードが浮かび上がりました。どの要素も、いままでにないことです。これを〝新しい〟という視点でプラスに転化すれば、スムーズに整理しなおせるのではないか。

この視点が見つかった瞬間に、すべての要素がすらすらと置き換えられました。〝新しい〟という言葉でソートすると、いちばんマイナスだったものがプラスの先頭になったのです。コレクションをもたないということは、既存の枠組みにとらわれず、美術館の新しいあり方を提示する姿勢としてアピールすればいい。そのほかの要素も、すべて〝新しい〟試みの一環として提示できるものばかりです。「これはいける！」と、思わず奮い立ちました。

こうやって視点を見つけるプロセスは、どこか暗号解読に似ています。全く異なる要素をさまざまな視点からアプローチして解読していくと、最後に「新しい」という暗号が浮かび上がってきた――。『ダ・ヴィンチ・コード』のような感覚です。ひねり出すのではなく、読み解くという感じがぴったり。気づかなかっただけで、最初からヒントは目の前に転がっていたのです。

さて、〝新しい〟という視点が見つかってからは、個々の情報からさらに引いた視点で、美術館全体を見つめ直してみました。すると、名称である「国立新美術館」のなかにも〝新〟という字がある。最初から、名前のなかにモチーフが潜んでいたのです。これですべてが、カチリと嚙み合いました。

ここまでくれば、建築にたとえた場合の〝構造〟が組み立てられていくのも早いものです。シンボルマークには「新」の文字を使おう。美術館のビジョンをビジュアルとして端的に表現するには、これしかないと思いました。〝新しい〟という視点から導き出したビジョンとは、「従来の枠組みにとらわれず、いままで誰もやったことのない試みで、美術の新しい扉を開ける場所でありたい」ということです。「NACT」というモチーフでも作ってみましたが、やはりこのビジョンをひと目で伝えるには、「新」に勝るものはない。国際化を目指したいという要望もあったので、漢字ならいっそう、日本発の美術館ということを海外に向けて幅広くアピールできると思いました。ここまでが、シンボルマーク作りの〝構造〟部分にあたります。

表現の段階で、ビジョンを明確に研ぎ澄ます

次は〝内外装〟部分です。実際にデザインをする段階では、ビジョンから派生した〝オープン〟をキーワードとしました。アートセンターとしての役割も積極的に果たす場ですから、情報が集まるだけでなく、活発に行き交う場所であってほしい。そうした〝開かれた場〟であることを、マークにも込めたいと思いました。そこで、〝新〟という字を構成するすべての線や角の閉じた部分をなくし、エレメントが開かれているオリジナル書体を作りました。

また、それぞれの線は、片方の端を直角に、もう片方の端を丸くしています。これは、黒川紀章さんの建築からイメージしたものです。美術館の建物は、正面のファサードは波打つ曲線、反対側の展示スペースの端は直線になっているので、こうした建築の特徴とマークをさりげなくリンクさせました。マークの色も同様です。黒川さん

の建築とのつながりを考えて、日本の伝統色である緋色と消し炭色を使いました。限りなく黒に近いグレーである消し炭色は、美術館全体でも印象的に使われています。

こうした全体の統一感への配慮は、最終段階でのディテールのひとつですが、大事なことです。なぜなら、建築側のアプローチと、ビジュアルコミュニケーション側のアプローチを一体化させることによって、ひとつの美術館という新しいイメージを定着させるための、完成度を上げることができるからです。たとえ同系色だとしても、建築とマークが別々の色だったら、統一感は失われてちぐはぐな印象になってしまうでしょう。これも、自分のエゴをなくして、プロジェクト全体のビジョンを優先するという考え方に通じるものです。

こうして完成したシンボルマークは、確固たる個性を放っていました。たぶん、「新」というシンボルマークを提出したのは僕だけだったと思います。コンペの依頼内容から考えればオリエン違反ともいえますが、世の中に新しい美術館のビジョンをアピールするという根本的な目的に立ち返ったからこそ、本質を見据えることができたと信じています。結果的に、この案が採用されたのは、そうした理由ではないかと思います。

THE
NATIONAL
ART CENTER,
TOKYO

迷ったら、具体的なシーンを思い浮かべてみる

長年アートディレクションという仕事で経験していても、視点を見つけることは往々にして難しいもの。それは、国立新美術館のケースでも強く実感したことです。

そこで、もうひとつヒントとなるアプローチを紹介しましょう。それは、「迷ったら具体的なシーンを思い浮かべてみる」ということです。つまり、さまざまなＴＰＯを想定して、自分が取り組んでいる物事をどのように説明するかを考えてみるのです。会社でプレゼンする場合、彼女に説明する場合、取材されて答える場合……。このとき、ユーザーやクライアントなど、あまりに漠然とした相手を想定してはダメです。リアリティに欠けるので、それぞれが抱いている価値観の違いが把握できません。ユーザーは彼女、クライアントは××社の社長というふうに、具体的な人物像をきちんと設定することです。

国立新美術館の場合も同様でした。「人に説明するときに、どんなふうに紹介したらいいだろう？」という思いから、さまざまな立場に立って考えてみたのです。まず、

もし自分が館長だったら、どんな美術館だとアピールしたいだろう。日本で五つ目だとか、最大級の展示スペースだとか、箇条書き風に説明していると長くなってしまいます。ひと言で「すごい！」ということを伝えたいと思うのです。

いっぽう、お客さんの立場だったら、日本で五つ目でも六つ目でもたいして関係ありません。それより、面白い場所であり、行ってよかったと思えることのほうが大切です。わざわざ地方から観光で訪れた場合、帰ってから「こんなところだったよ」と皆に説明できるよう、明確なビジョンが打ち出されていると安心するはずです。

両方のシーンを思い浮かべると、両者を納得させるキーワードは、やはり「新しい試み」ということに尽きると思いました。このアプローチも、〝自分の視点を捨てる〟ことの応用のひとつなのです。

常にビジョンを目指す、ポジティブな姿勢が大切

視点を引いて客観視することも、視点を転換することも、思い込みを捨てることも、すべては「多面的な視点で物事を見る」ということのバリエーションです。情報という、実体のないものを整理するために、こうした柔軟なアプローチが不可欠なのです。そして何より、目指すべきビジョン、つまり〝あるべき姿〟を目指して整理するという大前提があってこそ、ポジティブに、意欲的に取り組めると思うのです。その結果、伝えることの精度がぐんと上がればしめたもの。〝情報〟の整理のベクトルは、コミュニケーションの理想形を指し示しているのです。

考えに行き詰まったり、意思の疎通が難しいと感じた場合は、とにかく視点を変えてみてください。フレキシブルな姿勢で〝情報〟の整理術を自身に浸透させたら、いよいよ次は〝思考〟の整理術の番です。最も難度の高いものではありますが、ステップを踏んでいけば混乱することはありません。〝情報〟の整理の応用部分も多いので、見比べつつ取り組んでみてください。

5章　レベル3「思考」の整理術——思考を情報化する

思考を情報化すれば、コミュニケーションの精度が上がる

自分自身を知ることは、とてつもなく難しい

「Aさんが話すとあまり理解できなかったことが、Bさんが話すとすごくよくわかった。同じ内容なのに、なぜこんなに印象が違うんだろう？」

こんな経験、皆さんもあるのではないでしょうか。相手に自分の考えていることをきちんと伝えるのは、すごく難しい――いままで繰り返し述べてきたことです。これがうまくできる人というのは、〝思考〟の整理に非常に長けている人。つまり、自分の考えを整理して精度を上げることで、いちばん大事なことをブレずに、明確に伝えることができているのです。

これがなぜ難しいのか。それはやはり、〝思考〟が目に見えないものだからです。〝情報〟は、まだテキストや画像といった第三者が認識できるものとして存在します

が、〝思考〟は、頭の中にしかない抽象的な概念。だから、〝思考〟の整理は〝情報〟の整理より、さらに難度が高いのです。

そもそも、自分のことというのは、わかっているようでわからないものです。自分の姿かたちからして、本当の実像を見ることは一生できません。鏡に映る姿は、常に反転したものです。写真やビデオも、別のメディアに落とした姿です。それと同様に、自分自身の思いを探ることは至難の業なのです。たとえば、

「いま、本当にやりたいことは何なのか？」
「人生において、何がいちばん大切なのか？」

こうした本質的な質問をぶつけられたら、果たして即答できるでしょうか。バリバリ働いている年代なら、迷わず仕事だと答えられるかもしれませんが、確固たる信念をもって人に説明できるかというと、どうでしょう。漠然とした状態でなんとなく感じていることでも、秩序だてて整理していくのは、非常に難しいものなのです。それだけに、自分の考えのベースになっている部分がビシッと摑めると、その思考は揺る

ぎないものになるはずです。

さらに、自分の考えだけでなく、相手の考えもきちんと整理して理解することができれば、コミュニケーションの精度も格段にアップします。つまり、抽象的だった思考が、明確な情報としてやりとりされることになる。そう、思考の整理のポイントは、思考を情報化していくことなのです。その後のプロセスは、情報の整理と同じ。ですから、思考の整理は、情報の整理のより高度な応用編といえるでしょう。整理の対象となる要素が最初は見えないため、眼に見えるようにする作業が、整理術のプロセスに加わります。チャートで説明すると、155ページのようになります。

まず、考えを言語化することから始める

さて、思考を情報化するためにはどうしたらいいか。必要不可欠なのが、〝無意識の意識化〟というプロセスです。漠然とした状態の心理や、心の奥深くに埋もれている大切な思いなどを掘り起こして、はっきりと意識する。そうすれば、整理したり、秩序だてたりといった次の段階に進むことができます。哲学的な難解さを感じる言葉

●「思考」の整理術で身につける思考の情報化

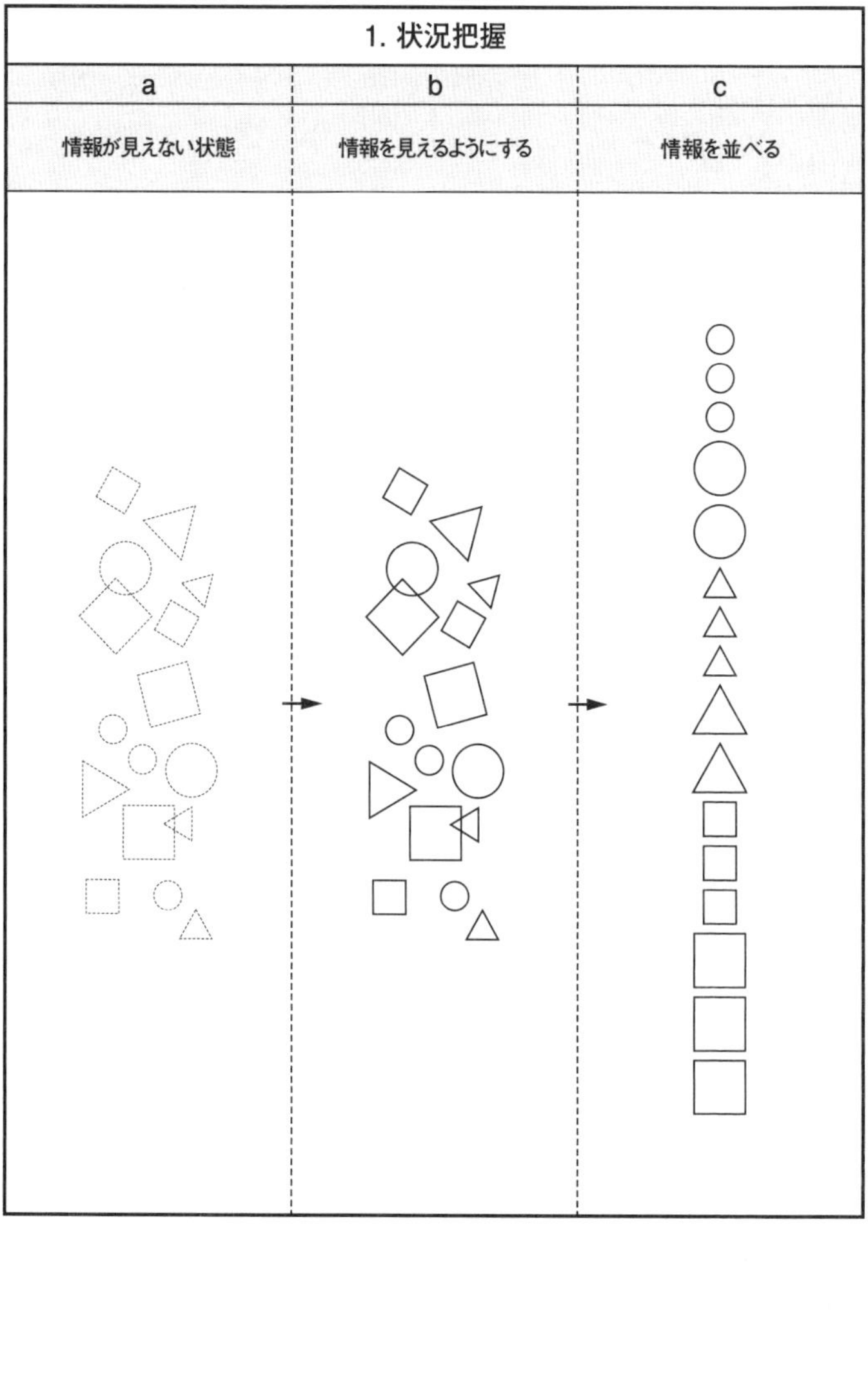

1. 状況把握		
a	b	c
情報が見えない状態	情報を見えるようにする	情報を並べる

かもしれませんが、これも一種のトレーニング。経験値を積むことが、整理術の何よりの早道です。

その際に、いちばん大事なことは、〝言語化していくこと〟です。もやもやとしていた思いを言葉にすることができれば、筋道を立てて人に伝えることができますから。言語化することで、思考は情報になるのです。

とはいえ、自分で自分の思いを言語化し、整理するのは至難の業です。最初から自分を客観的に捉えるのは、なかなかできることではありません。他人のことのほうが、ずっとクールに見ることができるものです。

ですから、まずは相手の言うことをまとめる作業から、トレーニングを始めてみてください。相手の思いや考えを客観的に捉え、言葉に置き換えることからやってみるのです。だんだんスキルが上がっていけば、そのうち自分のことも冷静に見つめられるようになってきます。いきなり文章にすることが難しければ、キーワードだけでもノートに羅列してみるといいでしょう。キーワードがたまったら、それを仕分けしつつ、視点となるべき軸を見つけていくのです。見つけた軸でソートさせると、大事なことが浮かび上がってくるはず。このあたりの手順は、〝情報〟の整理術と同様です。

まずは正しく言葉に置き換えて、情報にすることが大切なのです。

仮説をぶつけて、相手の思いを確認する

その際にぜひ試してほしいのが、仮説を立てて、恐れず相手にぶつけてみること。相手の言っていることがある程度まとまったら、「それってこういうことですか？」と、自分なりの言葉に置き換えて投げ返してみてください。もしその仮説が間違っていれば、相手は反論してくるでしょう。そうしたら、その反論を受けたうえで整理する軸を変えて、もう一度別の言葉にしてみればいい。間違っていたと、わかることも大切なのです。相手のなかに必ず答えはありますから、何度もキャッチボールを繰り返しているうちに、だんだん「これが言いたかったのか」というポイントが見えてくる。次第にピントが合ってきますから、躊躇せずにぜひトライしてみてください。

「何度も仮説をぶつけてみるなんて、相手にうざったいと思われるんじゃないか？」

ついこんな心配をしてしまう人もいるでしょう。でも僕は、あえて確信的に行っています。日本人の美徳としては、調和を重んじて丸く収めようという意識が働きがち。

会議でも遠慮しあって言いたいことを言えないという場面が多々見られます。でも、口にしにくいことをあえてぶつけてみるからこそ、問題の本質が浮かび上がってくるのです。

もちろん、誰かをやりこめるために行うのではありません。あくまで、最優先事項はプロジェクトの成功です。この絶対的な目標を念頭に置いたうえでの発言なら、決して失礼にはあたりません。プロジェクトを成功させたいという思いを、その場にいる皆で共有できればしめたもの。ですから、成功したイメージ像やビジョンを語ったうえで、仮説を述べれば、真摯な気持ちからの発言であることが伝わるはずです。

フロイトの心理療法にある〝無意識の意識化〟

ちなみに、〝無意識の意識化〟とは、フロイトの心理療法にも出てくる言葉です。フロイトは、〝無意識〟という概念を初めて理論だてて提唱した学者。心の病というのは、知らず知らずのうちに抑圧されてきた欲望や衝動が原因だと位置付け、その感情を掘り起こして意識化することで、病の根本がわかると考えました。その根本的な問題に対峙し、克服することで抑圧が解消され、病が治るというのです。

では、どうやって意識化したらいいか――フロイトが考案したのは「自由連想法」という方法です。患者自身が恐れている無意識の世界を掘り起こすのは非常に困難ですから、一種のフリートーキングを行いながら、徐々に核心に迫っていくのです。患者が心に浮かんだことを話し、治療者がそれに対して解釈を述べる。その反応によって再び別の解釈を試みる……ということを繰り返しているうちに、患者から強い感情が引き出せるようになっていきます。その感情こそが、無意識の世界の病因につながっているという解釈です。

これはまさに、思考の整理で〝仮説を相手にぶつける〟ことと同じです。「自由連想法」が心の病すべてに万能かどうかはわかりませんが、相手の無意識のなかに深く入り込んでいく方法としては、かなり効果的だと思います。

他人に対して仮説をぶつけていく方法にある程度慣れたら、自分に対しても自問自答してみてください。頭の中だけで行っていては混乱しますから、やはり言葉にして書き出してみると理解しやすいでしょう。

自己の無意識を意識化した、ドコモの携帯電話

プロダクト完成後に、コンセプトの言語化を模索

思考を整理する過程をわかりやすく感じてもらうために、僕自身が自己の無意識を意識化していった例を挙げてみましょう。二〇〇四年に、NTTドコモの携帯電話をデザインしたときのことです。それ以降もキッズケータイなどドコモのさまざまな事項のクリエイティブディレクションに関わっていますが、深く関わるきっかけとなったのが、携帯電話「N702iD」のデザインでした。

「人のことは何度も問診して結果を導き出してきたのに、自分のこととなると、どうしてこんなに難しいんだろう？」

自分を客観視することの大変さを、改めて実感した経験だったのです。

はじまりは、ドコモ側からのこんな依頼でした。

「ナンバーポータビリティ開始を控えて、他社の追い上げが激しくなっている。離れ気味になっている若いユーザーを惹きつける魅力的な携帯のデザインを、内部のソフト面も含めてお願いできないか。さらに、それを社会にアピールする広告やコミュニケーション戦略もぜひお願いしたい」

そう言われて、瞬間的に「こういう佇まいのものを作りたい」というイメージが浮かびました。佇まい、つまり持ったときの印象や気持ちを含めた全体像がふっと思い描けたのです。答えをバサッと網ですくったような感覚でした。

プロダクトデザインの仕事だったので、企画書というより、具体的な形や色を提示したほうが早い。そう考えて、まず紙で携帯の形を組み立てたモデルを作りました。クライアントに見せたところ、やはり百聞は一見にしかず。ひと目で理解され、賛同を得たので、そのままプロダクト化へと進みました。早い段階で、ゴールイメージを共有することができたのです。デザインを商品化するためには技術的な苦労も多く、二年半くらいかかりました。でも、クライアント側とはデザインの段階で早々に合意していたため、あえて自分の思考を整理するという必要がないまま、完成のときを迎えたのです。

さて、記者発表の段階になって、はたと困りました。いくらなんでも、完成したモノだけ見せるというわけにはいきません。世の中に対して、なぜこういう携帯を作ったのかを説明しないといけない。言語化の必要性が出てきたのです。とはいえ、人の心にインパクトをもって訴えかけるには、形をただ言語化してもうまくいきません。出来上がった携帯は、とことんフラットでスクエアな形をしているのですが、「フラットなフォルムにすることにこだわりました」――こう言っても、それは見ればわかること。この端末デザインの本質を伝えたことにはなりません。スクエアな構造そのものが、デザインの美しさとして表面に現れているようなフォルムですから、余計に説明するのが難しかったのです。

とはいうものの、出来上がるまでの二年半の間、プロダクトのキーワードは頭のなかにたくさん浮かんでいました。

- スパッとしている
- シャープ
- 直線的

- **潔い**
- **ミニマル**
- **機能美**

などなど、ほかにも似た意味の言葉をいくつも挙げていたのです。ところが、いざ「コンセプトは？」と聞かれると、どこを出発点にしたらいいか迷ってしまいました。「AだからBでCになる」というふうに、多くの人に納得してもらえるよう、秩序だてて説明するにはどうしたらいいのだろうか。

自分自身に仮説をぶつけて、発見したコンセプト

そこで、キーワードをひとつひとつ取り上げながら自問自答していきました。たとえば、〝機能美〟というのは、確かに実現したかったことではあります。「デザインは装飾ではなく、機能を突き詰めたところに生まれる」という思いがあるからです。でも、これが出発点なのかと考えると、どうも違う。機能美というのは形の説明であり、

これだと途中から話を始めてしまうような気がしたのです。

もう一度、じっくり考えてみました。依頼を受けたとき、瞬間的に浮かんだ佇まいのコアにあるものはなんだろう。そこにあるのは、いろいろなことを解決できる大事なものであるはず。僕の携帯電話に対するビジョンそのものといってもいい。これを見つけないと、本当にやりたかったことが伝わらないと思いました。なんとか、言語化して論理だてて話せるようにしたい。

そこで次は、四角いカタチが作りたかったのか、と自分に問いかけてみました。確かに、僕は直線が好きです。ではなぜ、直線に惹かれるのか。考えて出た答えは、自然界にない形だから。本来、直線というのは、思考のなかにしか存在しない、よどみのない概念です。コンセプチュアルアートの美しさに惹かれるのと似ているな、と思いました。直線も、コンセプチュアルアートも、よどみがなくて純粋である点が共通しています。そこが、僕がカッコイイと感じる理由なんだと確信しました。

ここでもう一度、キーワードを見渡してみました。すると、〝潔い〟という言葉が目に飛び込んできた。よどみがない印象を表すのに、いちばんぴったりの言葉です。さらに、キーワードのなかでこの言葉だけが、フォルムの形容にとどまらず、アティテュード（態度・姿勢）を表していると気づいたのです。それはつまり、佇まいということにも通じている。カオスのなかにあって、すごく強くて清々しい気持ちよさを感じさせる佇まいが、潔いという言葉には備わっています。

そうか、潔い佇まいのものを作りたかったんだ、とわかったときに、〝直線的〟とか〝機能美〟という言葉は、潔さをかたちにしたときの特徴のひとつなのだと実感しました。やはり出発点は〝潔い〟で正解だった、と。さらに思い当たったのが、〝潔さ〟は日本人特有の美意識でもあるということ。海外メーカーのデザイン携帯も参入する市場で、こうした日本人のＤＮＡを有するデザインは強いオリジナリティをもつはずだと、自分のなかで弾みになりました。

このように出発点に辿り着くまで苦労したのも、コンセプトに深い意味をもたせたのも、僕が携帯電話の表面のデザインだけを見据えていたわけではなかったからだと思います。クライアントから依頼された際も、外側の形状だけではなく、それを社会に発信するコミュニケーションの部分まで含めてデザインしてほしいと言われていました。もし、形のみのデザインを担当したのであれば、それこそ〝機能的〟といった、

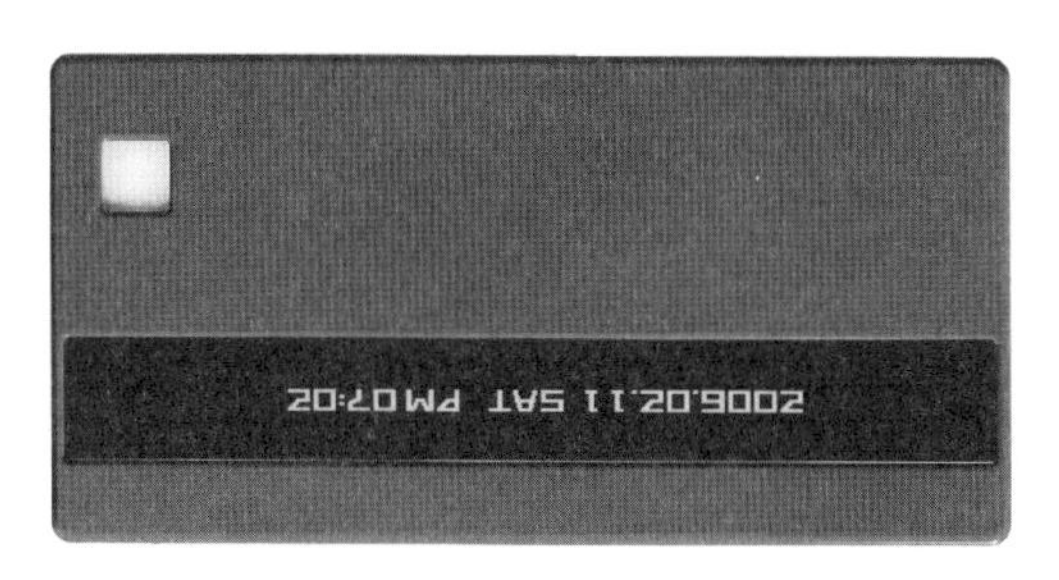
2006.02.11 SAT PM07:02

もっと具体的なコンセプトを設定していたかもしれません。〝潔い〟という、やや抽象的ともいえる言葉を掲げたことで、外側のミニマルな美しさはもちろん、コンセプトからにじみ出る清々しい強さが、そのままこの携帯を積極的にチョイスするというユーザーのアティテュードや美意識につながればいいと思いました。

記者会見では、キッパリと「潔いケータイを作りたかった」と発表し、このプロジェクトや現在の携帯市場に対する自分自身の思いを、かなり明確に伝えられたと思います。だからこそ、さまざまなメディアで「コンセプトは潔さ」と正確に伝えられ、結果的に一〇〇万台を超える大ヒット商品となったのです。

このように、自分自身の〝無意識の意識化〟はハードではありますが、何度も仮説を立てて自分にぶつけてみてください。「相手のなかに必ず答えはある」と述べましたが、同様に「自分のなかにも必ず答えはある」のです。

自分との接点を見出した、地域産業のブランディング

リアリティがなければ、問題意識は生まれない

　僕自身の無意識を意識化した例を、もうひとつ挙げましょう。二〇〇六年六月から始動した、今治タオルのブランディングプロジェクトです。これは、地域産業のブランディング。僕が手がけたことのない分野であり、最初は自分に何ができるのか、いまひとつ見当がつきませんでした。

　そもそも、今治のこともタオルのことも、ピンとこなかったというのが正直なところ。タオルは毎日使うものとはいえ、それがどこで作られているかを意識したことはありますか。買う際に販売ブランドにはこだわっても、産地のブランドまで考えることはないのではないでしょうか。聞けば、愛媛県今治市は、日本はもちろん、世界でも最大のタオル生産地。とはいえ、企業の一商品とは違うので、どう世の中にアピールしたものか、はたと困りました。

事の経緯から説明しましょう。このプロジェクトは、中小企業庁が取り組んでいる「JAPANブランド育成支援事業」の一環としてスタートしたものです。日本の地域産業を活性化して、世界に通用するブランドに育てようという試みです。今治のプロジェクトをスタートさせるにあたり、僕にクリエイティブディレクターになってほしいという依頼がありました。依頼主は、タオルの作り手を代表する、今治商工会議所、四国タオル工業組合、そして今治市。

いつもどおり、クライアントの問診から始めましたが、最初は苦戦しました。今治はタオルの一大産地ではありますが、これまではさまざまな服飾ブランドなどに提供するかたちで製品を作ることが主流だったため、独自の産地としてのブランドイメージが薄い。また、クオリティは高いのですが、最近は値段の安い中国産製品にシェアを侵食されつつありました。今治タオルならではの魅力をきっちりと掘り起こして、効果的にアピールしなくてはいけません。

こうして状況が浮かび上がってきましたが、困ったことにいまひとつ集中して取り組めない。なぜだろう、と考えてみると、自分自身との接点がもてていないからだと気づいたのです。つまり、自分がどこかでリアリティをもって捉えられないと、本当の意味での問題意識が生まれない。精度の高い仕事が望めなくなってしまうのです。

では、どうしたらリアリティがもてるようになるのか。問診を丁寧に続けて、共感できるポイントを見つけるしかありません。今回の場合、そもそもの出発点である地域ブランディングについて、詳細をさらに掘り起こしてみました。そうしたらピンときたのです。

最近、世界的に〝自分の国をどうブランディングするか〟という動きが活発になっています。たとえば、ブレア政権下のイギリス。一九九七年に、「クールブリタニカ」というキャッチフレーズを掲げて、イギリスはクールな国だと世界に向けて大々的にアピールしたのを、覚えていらっしゃる方も多いでしょう。アーティストの助成や現代美術館「テート・モダン」の建設など、クリエイティブ産業が大いに守り立てられました。いわば、国家的な広報戦略です。結果は大成功。各国が続けとばかりに熱心に取り組みはじめました。韓流ブームを巻き起こした韓国が好例です。

同様な試みを目指す日本の戦略のひとつが、この「JAPANブランド育成支援事業」ではないかと気づきました。タオルをアピールするというだけの話ではなく、国家ブランディングの一環だと捉え直したのです。地域産業が活性化することで、日本全体の活性化につながるといい。これに気づいた瞬間、リアリティが湧いてきました。僕自身、日本人としてできる限り貢献したい。〝国家ブランディング〟という視点で見つめたら、自分が積極的に関わっていけるという自覚が生まれたのです。タオルのことだけを考えていたら、こうした接点を見つけることは難しかったと思います。

他人事を自分事にできると、リアリティが生まれる

「他人事を自分事にする」

これは思考の整理で非常に大切なポイントです。あいまいなものを情報にして、さらには問題点を見出して解決していくわけですから、自分との接点を見出さないと実感が湧かず、目指すビジョンも空々しいものになってしまう。これは、決してエゴを持ち込むことではありません。自分勝手なイメージを作り上げるのではなく、対象のなかから本質を導き出すというアプローチだからこそ、いかに自分のモチベーション

を上げていくかが大事になってくるのです。ですから、対象をねじ曲げて自分に引き寄せるのではなく、対象と自分との接点に近づいていくことでリアリティが生まれるのです。

1章で、「どうしてあらゆるジャンルの仕事ができるのですか?」という質問に、「常に対象のなかから本質を引き出しているからアイデアが尽きることがない」と述べました。これにぜひ、「他人事を自分事にできるから」と付け加えたい。今回のように、担当するプロジェクトに一見個人的な接点がない場合には、どこに共通項を見出すかを念頭に置きつつ、情報をすくい上げていくのです。

たとえば、最近化粧品ブランドのスキンケア製品のパッケージをデザインしたのですが、はじめはどうアプローチしていいか迷いました。でも、男性である自分も、歯磨きやシャンプーといった身だしなみのケアは日常的に行っていると気づいた。この〝毎日ケアする〟という視点を見つけたことで、ぐっと身近に捉えられるようになり、使いやすいデザインを心がけることができたのです。

さて、話を今治タオルに戻しましょう。国家ブランディングの一環という視点で捉え直したことで、僕自身のモチベーションが格段に上がりました。実際に今治タオルを使ってみて、吸水性の素晴らしさや柔らかな肌触りといった品質のよさも実感しました。まずは、今治でこんなに素晴らしいタオルを作っているんだということを、積極的にアピールするべきです。

タオルは毎日使うものだし、直接肌に触れるもの。ユーザーからすれば、当然品質は気になります。食品の分野では、産地や生産者のトレーサビリティが浸透していますから、タオルにも品質を保証するシンボルマークを作ったらどうだろう。ウールマークのように一目瞭然としたものを。タオルにタグとして縫い付ければ、品質保証にも地域のアピールにもなる。シンボルマークというと、とりあえず作る、なんとなく形を作るという場合が少なくありませんが、本来、きちんとした目的をもったマークでなければ作る価値がないのです。

認知度が低いのが問題点ですから、課題はインパクトの強いマークを作ること。今治タオルのイメージを正しく喚起できるよう、生産者の方々にもヒアリングを重ねました。すると、この土地でタオル産業が発展したのは、豊かな自然環境の賜物だとわかりました。染めに適した軟水が豊富であり、温暖な気候なので乾燥も早いのです。

imabari towel

こうした事実を踏まえて、簡潔で力強いシンボルマークが完成しました。赤い四角のなかに円形を白抜きし、その下には横向きの青いラインが三本。海や太陽といった自然をモチーフにしつつ、今治のイニシャルである〝i〟をかたどりました。また、赤はチャレンジ、青は品質と伝統、白はタオルの色と無限の可能性というふうに、カラーリングにも意味をもたせています。さらに、アルファベットで“imabari towel”の字を添えました。〝今治〟は漢字で書くと読みづらいし、国際的にアピールしたいという意志も込めたかったからです。

このシンボルマークを皮切りに、新商品の開発やタオル選びのアドバイザーであるタオルソムリエの育成など、さまざまな活動を展開しています。今治タオルプロジェクトは始まったばかり。タオルといえば今治と瞬時に連想されるよう、メイドインジャパンの底力を世界に広くアピールしたい。それが最終ビジョンです。

思考の整理を行っていく際に、このプロジェクトで挙げた「他人事を自分事にする」というアプローチをぜひ試してみてください。無意識の意識化や仮説を立てる場合の潤滑油として、大いに役に立つはずです。

本質を研ぎ澄ました、ユニクロの〝あるべき姿〟

問診しながら掘り起こした、ユニクロの本質

次の事例は、ユニクロのブランディングです。こちらは、相手（クライアント）の無意識を意識化していったケースです。世界戦略を見据えたグローバル旗艦店をニューヨークにオープンするという計画のもと、僕にクリエイティブディレクションの依頼があったのが二〇〇六年初頭。何を打ち出していくかというビジョンを探っていくために、まず僕が外側からユニクロを見た際の情報を整理してみました。

当時のユニクロは、ブランドの輪郭がややあいまいになっていたように思います。一〇年ほど前にブレイクしたときは、リベラルなコンセプトを世の中に明快に打ち出していました。フリースなどのわかりやすいキラーアイテムも魅力的で、僕も個人的に興味を抱いていた。ところが、急成長していくとともに商品も店舗も膨れ上がり、

いろいろな方向性を模索するようになりました。また、ヒットしたゆえに人々の日常生活のなかに溶け込んでいき、次第に新鮮さが薄れていった。明確だった価値が、だんだんあやふやになっていったように感じられたのです。問診の前の整理で、こうした問題が浮かび上がってきました。さらに、代表取締役会長兼社長の柳井正さん自身にも、「ユニクロのあるべき姿を、明確に見えるかたちにして、皆に見せてほしい」と、きっぱり言われたのです。

ならば、問診の際は、僕の知らないユニクロをもっと知りたい。そう考えて、柳井さんにユニクロ・ヒストリーを次々と話してもらいました。そうしたら、面白い話が山のように出てくる、出てくる。柳井さんという経営者がいかにユニークな考え方をしているかが伝わってきて、あっという間に時間が経ちました。すごく感銘を受けたのと同時に、現状ではこれらの考え方が正確に世の中に伝わっていないのがもったいない、とも感じました。

たとえば、柳井さんの言葉で印象に残ったもののひとつが「服は服装の部品」。これはつまり、「ユニクロはいわゆる〝ファッション・カンパニー〟というより、どちらかといえばネジや釘などを売っている東急ハンズのような〝パーツ・カンパニー〟

という感覚なんです」ということ。「組み合わせはお客さんのご自由に」というわけです。

「なるほど！」と思いました。一般的なファッションブランドは、モノというより時代性などの気分を提案しているものが多く、このような考え方のブランドはめったにない。ユニクロは、よりクールなスタンスなんだな、と。気分を押しつけるのではなく、淡々と部品を作っている感覚が、ほかとは全く違うユニークネスだと感じました。

さて、世界進出するともなれば、周りの状況も見据えなくてはいけません。旗艦店を出すことになるニューヨークは、カジュアル市場の本場。GAPやZARA、H&Mなど、ユニクロのようなSPA（オリジナルブランドによる製造小売業）形態のブランドがひしめいている場所です。プライスもリーズナブルなところが多く、価格帯では、ユニクロは中の上くらいの位置付けとなります。

あくまで日本で勝負するなら、価格という視点で切っても優位性がありますが、現地のこうした状況を鑑みると、世界に出ていっても価格面だけではとうてい通用しません。つまり、誇るべきビジョンが明確に伝わらないと、客の立場からすれば、そのブランドの商品を買う理由が見つからないのです。

そこで、柳井さんの話を聞きながら、ビジョンを探りました。ユニクロの本質であり、研ぎ澄ませていって世界に打ち出したいものといえば……。

「美意識のある超合理性」。柳井さんにきっぱりこう伝えました。驚いた顔はされませんでしたが、なるほど、と頷いていらっしゃいました。つまり、見えにくくなっていた本質を改めて指摘され、やっぱりそうだったか、と納得されたのではないかと思います。柳井さんだけでなく、ユニクロの社員の方々も、言われてみればそのとおりだ、という感じでした。

日本発ブランドという気概を込めたロゴデザイン

このビジョンは、柳井さんの話の端々から導き出したことです。まず、さまざまな工夫でコストカットしながら、低価格かつ高品質というハイレベルなコストパフォーマンスを生み出していること。そのために、無駄を徹底的に排除している。また、爆発的なスピードで成長しているということは、会社内の仕組みや生産体制などすべての面で合理的であるに違いない。もちろん、「服は服装の部品」という言葉も、独特の美意識に基づいた合理性を端的に表しています。〝超〟合理性としたのは、合理的であることをインパクトをもって伝えたいという言葉のテクニック。〝超〟が付くことでひとつの表現になります。ただ合理的なのではなく、それが美意識に基づいているという本質を研ぎ澄ませていこう——。そうした強い意志も表しています。

従来のユニクロのスローガンでは、リベラルさやデモクラシーを打ち出していました。でも、世界進出を考える際には、この〝合理性〟という軸で整理するほうが面白いし、競合他社と比べても強くて魅力的だと思ったのです。無国籍性を打ち出して、幅広い層にアピールするという方法も考えられましたが、柳井さんの話からは、日本のブランドを代表して進出するんだという気概が感じられました。ならばなおさら、日本ならではのクオリティを明確に打ち出すべきです。それを、〝From Tokyo to New York〟というスローガンのもと、確信的に行っていきたいと思いました。ですから、旗艦店でのプレゼンテーションも、ユニクロらしいボリューム感と圧倒的な迫力を存分に感じさせようと思いました。カラーバリエーションの豊富なカシミアのセーターを、グラデーションにしながら何百枚も並べて陳列したり、壁一面をさまざま

http://www.uniqlo.com
http://www.uniqlo.com
http://www.uniqlo.com
Open 2006 Fall
542-544
Open 2006 Fall
Open 2006 Fall
Open 2006 Fall
UNI QLO
.uniqlo.com
UNI QLO
UNI QLO

UNI QLO
ユニクロ
http://www.uniqlo.com
Open 2006 Fall
http://www.uniqlo.com
Open 2006 Fall
http://www.uniqlo.com
http://www.uniqlo.com
http://www.uniqlo.com
http://www.uniqlo.com
Open 2006 Fall
http://www.uniqlo.com

なTシャツで埋め尽くしたTシャツウォールを作ったり、といった具合に。バリエーションの豊富さは、まさに「美意識のある超合理性」の賜物。世界に誇るべき特徴でしたから、インパクトたっぷりに伝えたかったのです。

アルファベットとカタカナ両方のロゴも、こうしたビジョンをキーワードにして作ったものです。どちらも、ニュアンスを排除した、骨格だけのタイポグラフィ。合理性に通じる、ミニマルな力強さを表現しました。ロゴの色も、落ち着いたえんじ色だったのを創業時のコーポレートカラーに戻しました。いくつもの色を合わせてできた色ではなく、混じりけのないピュアな赤。合理性を誇りをもって打ち出すのにふさわしい、鮮やかで強い色です。

柳井さんは、とりわけカタカナのロゴを気に入ってくれました。海外では特に強いインパクトを放ってくれるに違いない。仮に読めなかったとしても、この正方形の中に配した四文字の形が、ユニクロの本質を表現できている——と。実際、ニューヨークの街中で、この力強いロゴはアイコンとしてひときわ目立っていました。今後も、ユニクロのグローバル展開ビジョンの象徴として、輝き続けていってほしいと思います。

無意識に深く踏み込んだ、ファーストリテイリングのＣＩ

頭の中にあるビジョンを、どうやって引き出すか

こうして探り出したユニクロのグローバル展開ビジョンですが、実は非常にスピーディに見つけることができました。クライアントの問診を行いながら、その場でアイデアが浮かんだのです。柳井さんの思考が非常に明快で、ブランドとして一般的にもよく知られ、すでに事象になっていることも多かったからでしょう。どちらかというと情報の整理に近い感覚だったかもしれません。

それに比べて、二〇〇六年の秋に手がけたファーストリテイリングのＣＩのプロジェクトは、かなりクライアントの無意識にまで踏み込んだ経験でした。歴史や事象の積み重ねがあるユニクロと違って、今後展開する未来に向けてのビジョンだったので、何度も試行錯誤を重ねながら整理していったのです。

ご存じのとおり、ファーストリテイリングは、ユニクロというブランドを展開して

いる持ち株会社です。かなり長い間、ユニクロ＝ファーストリテイリングという状態で世の中に認知されていました。ですから、特にユニクロと別途でＣＩを作る必要性もなかったのです。しかし、ユニクロではなく、ファーストリテイリングという会社名にしていたことの背景には、柳井さんのビジョンがありました。ユニクロは大きな展望のなかでの、やりたいことのひとつだったのです。

それを証明するかのように、ここ一年ほどの間で、Ｍ＆Ａによるブランドの増加、グループ化が加速しました。そこで、ホールディング会社として、ファーストリテイリングのＣＩを掲げる必要性が生まれたのです。

とはいえ、グループ化は始まったばかり。グループ全体としてどういう方向に進んでいくのかは、外からはまだはっきり見えていない状態でした。ビジョンはこれからかたちになっていく過程にあり、クライアントの胸中にしか存在していません。たくさんの夢や希望と混じり合い、まだ秩序だてて整理はされていない状態でした。

仮説をぶつけて、クライアントの思考を探る

この場合も、まずは問診です。ファーストリテイリングは、ユニクロと違ってコンシューマーブランドではありません。複数のブランドを統括するホールディング会社としてのあり方は、どうあるべきか。たとえば、カジュアルというコンセプトを追求するという方向性もありますが、これだと将来ハイブランドを導入する場合、ふさわしくなくなってしまいます。また、どんどん規模が大きくなるので、それに伴ってCSR（企業の社会的責任）も大きく問われていくことになります。柳井さんからは、もっと革新的でありたいという意志や、世界の人々が幸せな気持ちになれる貢献をしていきたいという希望も語られました。

これらを踏まえたうえで、CIの根幹であるシンボルマークやスローガンを考案することになりました。一般的なホールディング会社のあり方としては、あまり強烈な主張はせず、万人に受け入れられるメッセージを中心に据えるのが普通です。実は、僕も最初そういう方向性を提案しました。柳井さんの話のなかに出てきた、〝世界の

人々を幸せな気持ちにする〟というメッセージを強調するかたちで、色はグリーンで四角い形のシンボルマークを作ったのです。世の中にもすっと馴染んで受け入れられやすいイメージのものでした。

このマークを見た柳井さんはひと言。

「うーん、全然違いますね」

驚きましたが、やっぱりそうか、と思ったのも事実。柳井さんはこうも続けました。

「これだと、よくある普通のホールディング会社ですよね。理屈で考えていくとこうなるだろうけども」

つまり、一般的な常識の軸で整理すると、こうした穏やかでまとまりのあるイメージになるだろうということです。でも、それではファーストリテイリングらしさが明確に感じられない。

柳井さんが打ち出したかったのは〝もっと革新的でありたい〟という意志のほうでした。視点となるのは、〝共生〟というよりも〝革新〟だったのです。たゆまぬベンチャースピリッツこそが、安定や調和よりも、ファーストリテイリングの未来に込めたい想いだったのです。問診を重ね、たくさんの情報のなかから僕が見出した視点は間違っていました。

しかし、視点から導き出した仮説をビジュアル化してぶつけたからこそ、クライアントも僕も、その方向ではないということが確認できたのです。仮説をぶつけることで、正解となる視点を浮かび上がらせ、整理の糸口を見つけた瞬間でした。

〝革新〟という視点を、真紅のシンボルで表現

早速、いったん完成していたものを壊して、再構築することにしました。〝革新〟という視点が見つかった時点で、霧が晴れたように方向性が見えてきたのです。〝世界の人々を幸せな気持ちにしたい〟というもうひとつの柳井さんの想いも、革新的なやり方で行っていけばいい。こうしたビジョンを表すためには、「色でいうと、やはり赤になりますよね？」と柳井さんに尋ねたら、「そうでしょうね」という揺るぎない答え。これで弾みがつきました。

形のイメージも、今度はパッと思い浮かびました。「いくぞー!!」という勢いを表すシンボルといえば、フラッグです。革新と挑戦の象徴ですから、格好のモチーフだ

と思いました。しかも、四角ではなく、直角三角形。なぜなら、目指すビジョンに向かって前進するという方向性を、より感覚的に表したかったから。さらに、フラッグに白のストライプを入れて、三つのラインで構成されたデザインにしました。これは、ファーストリテイリングのイニシャルである〝F〟を表すと同時に、すごい勢いで前進し続けるスピード感もイメージしています。加えて、同時に進めていたスローガンともシンクロさせました。コピーライターの前田知巳さんが考案した「服を変え、常識を変え、世界を変えていく」という三つのメッセージです。

今度のマークは、クライアントの思いを的確に具体化したかたちとなりました。社内のコンベンションでCIを発表したときの柳井さんの言葉が、それを物語っています。

「このシンボルマークは、非常に気に入っています。なぜなら、まず〝赤い〟。そして〝右肩上がり〟。さらに〝尖っている〟から」

赤というのは、革新的であること。右肩上がりというのは、三角形の底辺が斜め右に上がっている形から、成長し続けるエネルギーを連想させるものです。尖っている

FAST RETAILING

というのも三角形の鋭角からのイメージですが、〝人間丸くなるとダメになる〟という柳井さんの信条とも通じています。「我々はこういう会社で、それを極めていく」という意志を代弁するデザインになり得たのは、うれしいことでした。

さらにうれしかったのが「このマークは、たぶん簡単にできたと思います」とも言われたこと。これは最上級の褒め言葉だと感じました。会社のシンボルとなるマークは、いじくりまわした感じがあると絶対ダメだと思っているからです。それはつまり、整理しきれていないということなのです。シンボルマークは崇高なものですから、スパッと明快な方向性を指し示していないといけません。

こうして、最終的には、ファーストリテイリングの〝無意識の意識化〟を的確に行うことができました。このプロジェクトでも再確認したのが、「思考を言語化すること」と、「仮説を立てて、恐れずに相手にぶつけてみる」ということの大切さです。

Tシャツの新しい買い方をデザインしたUT

Tシャツのメディア性から生まれたビジネスモデル

ユニクロとの仕事は、現在も引き続き進行しています。最新のプロジェクトは、さらに新たな領域へと広がりました。ビジネスモデルのデザインです。

新たに立ち上げたビジネスとは、「UT」というTシャツ専門ブランドの展開。二〇〇七年四月末に、原宿にフラッグシップショップ「UT STORE HARAJUKU.」をオープンしました。誕生のきっかけは、ニューヨークグローバル旗艦店の件で打ち合わせをしていた際の雑談に遡ります。

「ユニクロというブランドは、ひとつのメディアみたいなものですよね。だからこそ、ユニクロにしかできないことがあるはずだし、トライするべきだと思うんです」

これが僕の言葉。対して柳井さんは、

「ユニクロならではのアイテムで、フリースやカシミアほどの認知度がなかったものといえばTシャツ。世界一のTシャツブランドを作りたいですね。Tシャツは服として最もシンプルな商材ですから、理想的なビジネスモデルになり得るんです」

そんな話から浮かび上がったのが、メッセージを発信することのできるTシャツは、メディアそのものだということ。Tシャツばかりの店を効果的に展開できたら、ビジネスとしてもかなり有望です。しかも、ユニクロはもともとTシャツを豊富に展開しているブランド。一シーズンに、なんと五〇〇種類も発売しているのです。ここまで多くのTシャツを展開しているブランドというのは、めったにない。おそらく世界的にもないでしょう。いままでフリースのようにはアイコン化されていなかった商品ですから、ぜひアピールしたいと思いました。

世界一のTシャツブランドを目指したシステム作り

そこで早速、問診の開始です。柳井さんの希望は、「世界一のTシャツブランドを作りたい」ということ。でも、どうやってかたちにしていいか迷っていました。さらに対話を重ねると、「スウォッチみたいな店を作りたい」ということがわかってきました。パッケージ化されていて、常に商品が回転していて、世界中で売られていて、シンプルなモジュールゆえに、店舗の規模を自由に変えることができて……。なるほど、面白そうです。駅や空港などのちょっとしたスペースでも展開可能だし、軽いものだから場所もとりません。素晴らしい着眼点だと感じました。

この場合、大量にTシャツを作っているということは、絶対的な強みだと思いました。ところが現状では、同時に弱みにもなっていたのです。たとえば、いつでもどこでも買えるということは確かにメリットではありますが、逆にファッション性や嗜好性といった付加価値には欠ける。また、多数のバリエーションがあるのはうれしい反面、多すぎて選びにくいというデメリットも発生します。さらに、お客さんがTシャツを広げて柄を見た後は、売り場が乱れてしまいますから、スタッフがきちんとたたみなおさないといけない。Tシャツの種類が多いだけに、この〝たたむ〟作業だけでも膨大な時間がかかってしまうというのです。

柳井さんのお話を伺っているうちに、まずこの膨大な量のTシャツを整理して、扱いやすく個々をパッケージ化することが第一だと実感しました。買い方そのものをデザインしようと思ったのです。いくらコンテンツがよくても、現状の買い方では無駄も多く、魅力がきちんと伝わりません。そこで、「世界一のTシャツブランドを作るとはどういうことか？」という視点から柳井さんの思考を整理しなおすと、コンテンツ作りよりもシステム開発のほうにウエイトを置くべきだと確信しました。グーグルやユーチューブのように、画期的なシステムを提供するブランドであるべきだと。インフラをきっちり作ったうえで、その上にコンテンツを乗せていけば、世界的なビジネスとして運営していけるはずです。さまざまなコラボレーションものも、積極的に仕掛けられる。この仮説をぶつけると、柳井さんも大きく頷きました。

こうして、単にコンテンツを売るだけではなく、Tシャツインフラとしてのブランド「ＵＴ」というコンセプトが出来上がったのです。

ペットボトルのパッケージで、問題点を付加価値に転化

次なる課題は、実際にこのコンセプトをどう現実化していくか。そのためには、パッケージングの方法が最も重要です。カテゴリーの分類のしやすさや取り扱いやすさといった機能性はもちろん、パッケージ自体が魅力的で、購買の動機につながる付加

価値をもっていなければなりません。

理論的には整理できたのですが、いったいどうすればそれをかたちにできるのか。難度の高い課題に、アイデアが見えない苦しい日々が続きました。そこで、現在考えられるパッケージングの方法論を、形態、素材、コストなどのあらゆる観点から、一つずつ検証していくことにしました。

まず、形態として考えられるのは箱です。素材としては、紙、木、金属、プラスチック……。薄いものやキューブ状など、箱の形によっても印象は異なります。次に考えたのは、レコードジャケットのようにして、グラフィックを見せるのはどうかということ。さらに、フィギュアなどが入っているブリスターケースはどうだろうといった具合に、相当数の形と素材を、考えられるだけ根気よく出していきました。しかし、重さや店頭でのオペレーション、コストなど、みなどこかに問題があります。

うまくまとまらないので、目の前に並んでいる材料に、いったん別の視点を導入してみることにしました。衣料品に限らず、あるひとつのフォーマットで大量に種類が存在し、それを消費者が安価で気軽に買っているものを探してみることにしたのです。たとえば音楽のＣＤ、ＤＶＤ、ビール、飲料と、順に検証していくうちに思い当たりました。

「コンビニでペットボトルの飲料を買う行為がいちばん近いのでは！」と。飲料はコーヒー、お茶、ジュース、水、スポーツドリンクなど、あらゆるカテゴリーがペットボトルというひとつのフォーマットでパッケージされています。また、コンビニやスーパーから自動販売機に至るまで、どのような売り場にも対応している。技術的にも、ひとつの型を起こしてしまえば大量生産できるうえに、各カテゴリーのラベルのみを貼り替えていけば、コスト面も見通しがつく。軽くて丈夫で、リサイクルにも適しているし、なんといっても面白くて魅力的です。すべての問題が解決できている答えです。

「Tシャツをペットボトルで販売する」。これは、世界的にも前例のない、新しい提案だと興奮しました。最初は、どうしても売り手側からの視点でものを考え、煮詰まってしまっていたところを、買い手からの視点に転換したことで、一気に解決できたのです。〝売り方〟ではなく、〝買い方〟に視点の軸を変えたことによって、問題解決の糸口が見つかったのです。

では、ペットボトルのパッケージを店でどう展開するのか。フラッグシップショップは、ＵＴブランドを社会にプレゼンテーションする大切な場となります。ただ単に並べておくのでは、インパクトがありません。斬新なパッケージングを生かすには、店でのプレゼンテーションまで一気通貫したコンセプトにすれば、強いメッセージを発進できるのではないか。こう考えて、ショップコンセプトを「未来のＴシャツのコンビニエンスストア」としました。

ショップの光景を説明しましょう。コンビニのドリンクコーナーを思わせる壁一面に配されているのは、リーチイン・クーラーを近未来的にデザインした什器。その中に、Ｔシャツを詰めたペットボトルがずらりと並びます。什器のドア面には、さまざまなカテゴリーをＬＥＤで表示。ジャパニーズポップカルチャープロジェクト、企業コラボ、パントーン、キッズなど、什器ごとにわかりやすく分類されています。さらに、絵柄やサイズを実際に手に取って確かめられるよう、サンプルＴシャツをハンガーに吊るして陳列してあります。こうすることで、選びやすくなることはもちろん、売り場が雑然となってしまうこともありません。

また、常時五〇〇種類ものデザインを取り扱うため、ＵＴサーチという検索端末を各階に設置しています。色や形、テーマ、キーワードなどから、好みのTシャツをチェックできるうえ、その商品が店内に置いてある場所までサーチできるハイテクシステムも開発しました。さらに、一階のメインの壁に一二台並んでいるモニターには、Tシャツをモチーフとした最先端のサイバーコンテンツを流し、四階にはギャラリーも設置しました。

斬新でモダンな空間のなか、ドリンクを選ぶようにペットボトル入りのTシャツを選ぶ。全く新しいTシャツの買い方を提案できたことは、このビジネスモデルの大きな指針となりました。

「UT STORE HARAJUKU」は、オープンと同時に国内外で大反響を呼びました。すぐに売り切れてしまったコンテンツもあるくらい、店内は連日たくさんのお客さんで埋め尽くされ、うれしい悲鳴を上げている状況です。

CREATIVE
AWARD 20
shirts for "T-s
Award" is
ed 15,817 en
bmitted by
as judges
of exciting
either in tex

OSAMU TEZUKA
TRIBUTE

PANTONE
UT
A t-shirt is more than just a t-shirt. It's an expression of who you are. Where you've been. What you love. And with hundreds of limited edition t-shirts to choose from each year, you'll always find one that says exactly how you feel. That's the UT philosophy.

UT
Kids
PROJECT NY POP CULTURE PROJECT
NY POP CUL
RE PROJE
CUL

BLE SOUND

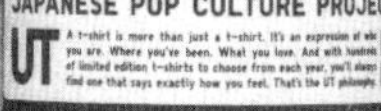
JAPANESE POP CULTURE PROJECT

SOUVENIR FROM
TOKYO

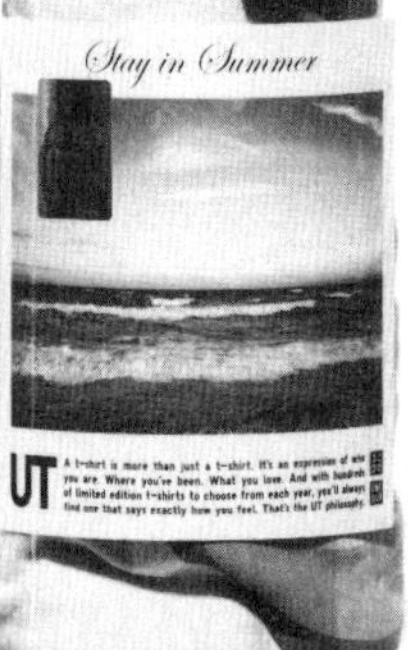
Stay in Summer
UT
A t-shirt is more than just a t-shirt. It's an expression of who you are. Where you've been. What you love. And with hundreds of limited edition t-shirts to choose from each year, you'll always find one that says exactly how you feel. That's the UT philosophy.

思考の整理で浮かびあがった、新しい病院の姿

今日の医療環境が抱える、問題の本質を探る

最後に、進行中の新しい事例を紹介しましょう。大阪に新しくつくられる、千里リハビリテーション病院のプロジェクトです。全体のクリエイティブディレクションを、理事長の橋本康子先生直々に依頼されました。

「病院のディレクションって、どういうことだろう?」と、意外に思われるかもしれませんが、アプローチは全く同じです。まずは、問診を行って理事長先生の思考を整理する。どんな病院をつくっていきたいのかを、言語化してはっきりさせていくことから始まるのです。

リハビリテーション病院というのは、日本にはまだあまり多くはありません。理事長先生は革新的な考えをおもちで、医療環境の現状に満足していませんでした。たとえばホスピタリティの悪さ。一般的な病院では相部屋が基本となっていますが、「全

Senri Rehab

室個室体制にする」ときっぱりおっしゃいました。「リハビリスタッフの数も大幅に増やしたい」とも。この病院の規模は一七二床ですが、一般の病院ならリハビリスタッフ数は一〇人程度のところを、八〇～九〇人くらいの体制にして手厚くケアしたいとの希望です。さらに相談されたのが、「従来の病院の空間は味けなさすぎる。もっと快適な環境にできないものか」ということ。ほかにも、現実的な問題点がいくつも浮かび上がりました。

理事長先生は、もともと四国にもご自身の橋本病院を経営しているのですが、そこでは問題点や細かい不具合のひとつひとつに対処し、現時点でもかなり革新的な試みをされていました。ですが、もっと根本的でトータルな部分での解決方法には至っていなかったのです。

そこで、浮かび上がってきた問題点を見直してみると、患者に対してのもてなしや気遣いが、空間としての病院に欠けていることが根本的な原因ではないかと感じました。人的なホスピタリティだけでなく、空間や施設自体にも気を配るという視点が欠けていたのではないかと。環境が人に与える影響は多大なものです。美しく快適な空間にいるだけで、沈んだ気持ちも少しずつ癒されていくのではないでしょうか。

コンセプトは、〝リハビリテーション・リゾート〟

こうして先生の思考を整理しているうちに、あるイメージが浮かび上がってきました。仮説でしたが、先生に躊躇なくぶつけてみました。

「コンセプトとしては、リハビリテーション・リゾートという感じですよね」

先生は膝を打って「そう！」とひと言。うまく言えずにずっとあいまいなまま抱いてきたビジョンが、はっきり言葉になったと、すごく喜んでくれました。

リハビリテーション・リゾート。病院なのにリゾートとは何事だ、と思われる方もいるかもしれませんが、いままでの医療環境に欠けていたのは、まさにこの〝リゾート〟的な部分ではないでしょうか。この病院は、もちろん身体のリハビリのための施設ですが、気持ちいい空間と真摯なサービスを提供することで、心のリハビリにもなるのです。そして、心のリハビリこそが、身体のリハビリを後押ししてくれると思うのです。理事長先生がずっと満足できないと感じつづけていたことも、現代の医療環境に〝心のリハビリ〟という視点が入っていないということでした。

実は、僕がこのプロジェクトに関わりはじめたのは、ゼロの段階からではなく、建物の工事がある程度進んでいた頃。先生は設計者の方に「高級リゾートみたいな感じにしたい」とか「住宅のようにしたい」などとリクエストしていたのですが、言葉で的確に表現しきれていなかったので、設計者側にはうまく伝わっていなかったのです。プロジェクトのビジョンがいまひとつあいまいで、スタッフ全員で共有できていなかったため、インテリアの段階にきて「ああでもない、こうでもない」という状態に陥っていました。そこで、〝リハビリテーション・リゾート〟というコンセプトがとても重要なキーワードになったのです。このコンセプトに基づいて、インテリアデザインのディレクションから僕が担当することになりました。

内部は、まさにリゾートホテルそのものです。熱帯魚が泳ぐ水槽があり、リビングには暖炉。アロマテラピーやライブラリーも完備され、家具はすべて、モダンで美しい北欧製のものです。蛍光灯にPタイルという、病院の典型的なイメージともおさらば。柔らかな間接照明と木の温もりあふれるフローリングが、ほっと心を和ませてくれることでしょう。

スタッフのユニフォームも一新します。現在、イッセイミヤケから独立したデザイナー、滝沢直己さんに、いわゆる白衣ではない新しい考え方のデザインをお願いしているところです。理事長先生からのリクエストは、清潔感があってきちんとしたイメージのもの。やはり、きちんとした服装は安心感につながるからです。デザイン画の段階でさすがだと思ったのは、その〝きちんと感〟とエレガントさが同居していたところ。麻を使った軽やかなシルエットで、コロニアルスタイルのホテルスタッフのようなイメージでした。患者に安心感と癒しを与えてくれるであろうユニフォームの仕上がりが楽しみです。

建物は、二〇〇七年の秋には第一期工事が終わり、部分的にオープンします。すべての工事が終わってのグランドオープンは、約三年後の予定。このプロジェクトが、日本の医療における〝心のケア〟の部分に光を当てられたら、実にうれしいことです。

これまでの事例と同様、病院のクリエイティブディレクションについても、「思考の言語化」と「仮説をぶつけること」によって、進むべき道がはっきりしたことがおわかりいただけたでしょうか。ぜひ、皆さんも積極的に実践してみてください。このトレーニング、最初は的はずれな結果に終わることもあるでしょうが、難しい作業ですからあきらめずに何度も繰り返すことが大事です。そうすれば、少しずつ精度は上がってきますから、コミュニケーションの力を信じてトライし続けてください。そして、〝思考〟の場合も〝情報〟の場合と同じく、〝あるべき姿〟を目指して整理するという前提が、何より大切なことなのです。

6章　整理術は、新しいアイデアの扉を開く

最大のポイントは、視点を見つけること

これまで、〝空間〟↓〝情報〟↓〝思考〟というレベルごとに、僕なりの整理術を紹介してきました。身近なことから、徐々に難度を上げていきましたが、おおまかな感覚は摑めたでしょうか。

各章のポイントを、改めて挙げてみます。

・空間の整理……整理するには、プライオリティをつけることが大切

・情報の整理……プライオリティをつけるためには、視点の導入が不可欠

・思考の整理……視点を導入するためには、まず思考の情報化を

2章で取り上げた整理のプロセスのチャートを、もう一度見ながら振り返ってみま

しょう。最初より、すんなり要点が頭に入ってくるのではないでしょうか。

空間から思考へとレベルが進むにつれて、難度とともに要するモチベーションも高いものになっていきました。とはいえ、どの整理の場合も、根本的に核となることは共通しているのです。

それが、〝視点を導入すること〟です。繰り返しますが、視点の持ち込み方によって、整理の方向性は全くといっていいほど変わってきます。言い換えると、優れた視点を導入することができれば、問題解決に向けての大枠の方向性が定まるのです。まずは、視点の軸をいくつも挙げてみて、ＴＰＯに応じていちばん有効と思われるものを選んでください。

実際の進め方の例として挙げたのは、あくまで僕の仕事の場合。ですから、状況に応じて柔軟にアレンジしてもらえればいいと思います。

〝空間〟の整理の場合は、〝どのくらいの頻度で使うのか〟〝いますぐ必要なものかどうか〟など、主に時間軸という視点でソートしましたが、〝いちばん機能性の優れたものはどれか〟〝デザインが美しいものはどれか〟といった、いろいろな視点があり得ます。すべてを同じ視点で整理する必要もありません。書類は時間軸で、文房具は機能という軸で、というふうに、TPOに応じて自分がいちばん快適に過ごせるような視点を見つけてください。

〝情報〟や〝思考〟の整理の場合は、さらに千差万別です。その時々の問題点によって、視点をさまざまに変えてみてください。対象のなかに必ず答えはありますから、あせらず何度も試してみることです。

また、視点というのは、一度見つければそれで終わりではありません。整理の視点は、時とともにアップデートされていくものです。PCの場合を例にすると、新たな技術やシステムが生まれるに伴って、新たな整理法も生まれていくはずです。自分自身のライフスタイルもいずれは変化しますから、プライオリティもその都度変わってくることでしょう。自らの成長とともに整理術も成長し、磨かれていくのです。これを実感するのも、整理の醍醐味といえるでしょう。

目的をもてば、テクニックも生きてくる

視点を見つけるためのヒントやテクニックも、それぞれの章で紹介しました。それらをうまく使いこなすためには、常に心に留めておくべきことがあります。

そう、「何のために整理をするのか?」という目的をもつことです。整理のための整理では、何も生まれません。たとえば、〝空間〟の整理において、捨てることは、不安や〝とりあえず〟との闘いだと述べました。人間は、身体感覚で味わわないとなかなか理解できないから、〝捨てる〟という行為がいちばんダイレクトに訴える方法だ、と。捨てる勇気をもつことで、空間も自分の気持ちも整理することができますから、ぜひ実行してほしい行為です。

でも、決して〝捨てる〟ことが目的なのではありません。あくまでも手段なのです。「何のために捨てるのか?」といえば、本当に大事なものを決めるため。そして、大事なものを、より大切に扱うためなのです。こうした目的を意識していないと、整理の方向性がブレてしまいます。さらに、

- **定期的にアップデートする↓モノを増やさないため**
- **モノの定位置を決め、使用後はすぐに戻す↓作業環境をすっきりさせるため**
- **フレームを決めてフォーマットを統一する↓わかりやすく分類するため**

このように、どのヒントにも、それぞれ目的があるのです。そして、これらはすべて「すっきりした空間を作ることで仕事の効率が上がり、リスク回避につながる」という、〝空間〟の整理全体の大きな目標につながっているのです。

〝情報〟や〝思考〟の場合も同様です。

- **視点を引いて客観視してみる**
- **自分の思い込みをまず捨てる**
- **視点を転換し、多面的に見てみる**

これらは、〝情報〟の整理におけるポイントです。〝思考〟の整理では、

- **自分や相手の考えを言語化してみる**
- **仮説を立てて、恐れず相手にぶつけてみる**
- **他人事を自分事にして考える**

こうしたポイントを挙げました。〝思考〟の整理の目的は、〝思考の情報化〟を行い、頭の中の漠然とした思いをスムーズに相手とやりとりするということです。その後は、〝情報〟の整理と同じく、問題解決につながる視点を見つけるという目的に沿って、各々のポイントを参考にしていけばいい。

そして、〝情報〟や〝思考〟の整理の最終的な目標といえば、「ビジョン＝あるべき姿に近づくこと」です。〝あるべき姿＝理想的な作業環境〟と置き換えれば〝空間〟の整理にも当てはまること。さまざまなポイントを使いこなすことで、理想的な視点を見つけることができれば、〝あるべき姿〟に向けての大きな一歩が踏み出せるのです。

以上が、僕ならではの〝整理のススメ〟です。僕も自分自身の思考を整理しながら、改めて整理の楽しさ、奥深さを実感することができました。これを読んだ皆さんも、「よし、実行してみよう！」と思ってくれることを願っています。

答えは必ず、目の前にある！

最後に、ぜひ強調しておきたいことがあります。

〝整理をすること〟と〝問題解決〟は、別ものだと思っていた人も多いのではないでしょうか。整理は事務的な作業、問題解決は別の次元のクリエイティブな作業だ、と。

そんなことはないのです。「整理と問題解決は、同じベクトルでつながっている」ということが、各章の内容から感じてもらえたと思います。〝問題解決〟は、〝あるべき姿を見つけること〟と置き換えてもいい。あるべき姿を見つけるひとつの方法として、整理術があるのです。

整理して新しい視点を見つけるということは、それまで見えなかったものが見えてきて、視界がクリアになるということ。新鮮な気分になったり、インパクトを与える切り口が見つかったり、人を感動させるポイントが把握できたり――ポジティブな発見がたくさんあります。つまり、視点を見つけたその時点で、アイデアの糸口になっているはずなのです。

優れた視点が見つかった場合、その視点で要素を並べ替えただけでも、答えになっていることがしばしばあります。問題解決のための答えを見つけることとは、何か新しいものを生み出すことだと考えがちですが、そうではありません。ゼロから答えを出そうと思っても、なかなか見つかるものではない。たとえば、〝空間〟の整理において、「快適に効率よく仕事がしたい」と思っても、一足飛びには実現できません。いったん整理をきちんとすることで無駄なものがなくなり、結果的に快適な環境を手に入れることができる。最初のステップを確実に踏むことで、自然と次のステップにつながっていくのです。

ビジネスシーンでも同じことが言えます。「いい企画書ができない」「アイデアが思い浮かばない」「効果的なプレゼンテーションをするのが難しい」——。こうした場合に、ないものねだりをするのではなく、まずは現時点で材料としてあるものをうまく並べ替えてみることです。新しいものをゼロから生み出そうとするのではなく、目の前のものを的確な視点で組み替えることで、見違えるほど精度が上がるものです。

僕の仕事の事例で挙げた、ユニクロのロゴやファーストリテイリングのCIも、まさにそうした作業の結果です。僕が新しいコンセプトを考え出したのではなく、クライアントの問診から得た情報をもとに、いろいろな視点から見つめてみた。客観的に引いてみたり、仮説を立ててみたりしながら、プライオリティをつけていったのです。そして「合理性」や「革新」といったキーワードを見つけて、デザインの力で磨き上げたうえで「これだ！」と提示するから、新鮮なものに見えるのです。

このように、いまある材料を整理しなおしてみると、「かなりいける！」ということも大いにあり得ます。残念ながら、結果的にいい素材がなかった、という場合もあるでしょう。そうしたら、思い切って全部捨ててしまって、新たな材料を集めればいいのです。

アイデアが出ないと悲観する前に、まず目の前のものを見つめ直してください。いまもっている情報を整理して把握するだけで、十分対応可能になるのです。整理は、新しいアイデアを開く扉です。決して義務にかられて行う事務的なものではありません。それどころか、答えを導き出すための非常にクリエイティブな作業なのです。

もう一度、述べさせてください。問題解決のための手がかりは必ず、対象のなかにあります。優れた視点で対象を整理すれば、解決に向けての方向が明確になる。答えは、目の前にあるのです。

あとがき

本書は、僕にとって初めての著書となります。これまで、作品集や雑誌での特集をまとめた出版などはありましたが、ひとつのテーマについて自ら思考を精査し、まとめていくという試みは初めての体験でした。

改めて考えてみると、いままで僕に求められてきたのは、デザインをはじめ、何かかたちになるものを創り出すことです。でも、その根源となる思考回路については、あまりクローズアップされたことはありませんでした。いつかこの思考回路をかたちにできないだろうかと、以前から漠然とは考えていたのです。

実は、デザインやブランディングをテーマにした書籍のオファーは過去にもいただいていました。本書についても、同様のオファーをいただいたことがきっかけだったのです。ですが、自分としては、そうした概論的なテーマについて書くにはまだまだ勉強が足りないし、おこがましくてできないと思っていました。客観的に広く見渡せる視点を、相当磨かないといけないですから。ただし、自分の思考回路を形にするいい機会だと思ったので、切り口となるテーマを探しました。そこで浮かび上がったのが〝整理〟です。ずっとコンセプチュアルに取り組んできたテーマですし、自分のデザインを〝整理〟という切り口から見直すことにもなると思いました。

実際に取りかかってみると、本にするということは、思った以上に難しいものでした。まさに、僕自身の思考の整理です。頭の中で漠然と考えていたことを、ひとつひとつテキストに起こして情報化していくうちに、本当に言いたいことが徐々に摑めてきました。時間はかかりましたが、自分の思考回路を根気よくひもといてみたことで、いままで培ってきた整理術を改めて整理しなおすことができたと思います。

本当のところ、以前は自分のなかで、デザインと整理の結び付きが確信できていませんでした。わかってはいたのですが、どこかでお互いを分けて考えていたのです。ですが、本書に取り組んだことで、双方の関係がすごくクリアになりました。まえがきで述べたように、「デザインもクリエイティビティあふれる整理術」だと捉えることができたのです。実際、仕事においても、以前よりずっと明確に整理術を活用できるようになりました。言い換えれば、このテクニックが完璧に自分のものになったのです。これは自分自身の大きなバージョンアップでした。整理術という方程式がきっちり出来上がったことで、要点を空で説明することも、ＴＰＯに応じた活用をすることもできるようになったのです。テクニックというのは、効果を実感してはじめて自分のものになると思いますから、ぜひ積極的に実践してみてください。

最後にひと言。多くの方々の協力があったからこそ、本書をまとめることができました。いままでお世話になった数々のクライアントの方々、それぞれのプロジェクトに関わったクリエイターやスタッフの方々。皆様からたくさんのアイデアやヒントをいただいたことが、問題解決の大きな助けとなり、プロジェクトの〝あるべき姿〟へと向かうことができました。そのダイナミックな経緯を、本書でうまく伝えることができていたら幸いです。僕自身の思考の整理に関しては、ライターの高瀬由紀子さんと、日本経済新聞出版社の三上秀和さんに問診していただき、たいへんお世話になりました。また、本書に掲載した写真の多くは、瀧本幹也さんに撮影していただきました。改めて皆様に感謝申し上げます。

二〇〇七年八月二〇日

佐藤可士和

掲載写真・作品一覧

1ページ　SAMURAI
4ページ　国立新美術館
6ページ　UT STORE HARAJUKU.
8ページ　NTTドコモ　FOMA N703iD
26ページ　キリン極生・生黒街頭広告
35ページ　ホンダ　ステップワゴン
45ページ　SMAP　CD発売キャンペーン
57ページ　キリン極生パッケージ
67ページ　SAMURAI　ミーティングスペース
135ページ　明治学院大学　シンボルマーク
139ページ　国立新美術館
147ページ　国立新美術館　シンボルマーク
166ページ　NTTドコモ　FOMA N702iD
175ページ　今治タオル　シンボルマーク
182ページ　ユニクロ ソーホー ニューヨーク店
191ページ　ファーストリテイリング　CI
201ページ　UT STORE HARAJUKU.
203ページ　千里リハビリテーション病院　シンボルマーク

著者

佐藤可士和
Kashiwa Sato
アートディレクター／クリエイティブディレクター
1965年東京生まれ。博報堂を経て「サムライ」設立。
スマップのアートワーク、キリン極生の商品開発から広告キャンペーン、TSUTAYA TOKYO ROPPONGIのVIと空間ディレクション、ファーストリテイリング、楽天グループ、明治学院大学のブランディング、NHK教育「えいごであそぼ」のアートディレクション、NTT DoCoMo「FOMA N703iD」のプロダクトデザイン、ユニクロNYグローバル旗艦店のクリエイティブディレクション、国立新美術館のVIとサイン計画等、進化する視点と強力なビジュアル開発力によるトータルなクリエイションは多方面より高い評価を得ている。東京ADCグランプリ、毎日デザイン賞、亀倉雄策賞ほか多数受賞。
http://kashiwasato.com/

佐藤可士和の超整理術

2007年 9 月14日　1 版 1 刷
2007年12月25日　　7 刷

著　者　佐藤可士和

発行者　羽土　力

発行所　日本経済新聞出版社
http://www.nikkeibook.com/
〒100-8066　東京都千代田区大手町1-9-5
電話　03-3270-0251

印　刷　錦明印刷

製　本　大進堂

ISBN978-4-532-16594-9

読後のご感想をホームページにお寄せください。
http://www.nikkeibook.com/bookdirect/kansou.html